Waldorfpädagogik

Unterscheidung

Christliche Orientierung
im religiösen Pluralismus

Herausgegeben von
Reinhart Hummel und Josef Sudbrack

Reinhart Hummel, Reinkarnation
Josef Sudbrack, Mystik
Wolfram Janzen, Okkultismus
Bernhard Wenisch, Satanismus
Thomas Broch, Pierre Teilhard de Chardin
Siegfried Böhringer, Astrologie
Bruno Heller, Krise des Denkens
Hans Joachim Türk, Postmoderne
Elisabeth Schneider-Böklen/
Dorothea Vorländer, Feminismus und Glaube
Raimar Keintzel, C.G. Jung
Anton Rotzetter, Neue Innerlichkeit
Franco Rest, Waldorfpädagogik

Inhalt

Einleitung: Vorgehensweise und Absicht

Seit geraumer Zeit ist in der Öffentlichkeit eine neue Auseinandersetzung mit der Pädagogik Rudolf Steiners, der Waldorfpädagogik in Gang gekommen.

Dies ist sowohl durch die Suche nach pädagogischen Alternativen und durch das zahlenmäßige Anwachsen der Walddorf-Einrichtungen (Kindergärten, Schulen, sonderpädagogische Einrichtungen, Heime und Internate, Erziehungsberatungsstellen, Freizeit-Häuser) bedingt, als auch einigen Veröffentlichungen zu verdanken[1], wie Christoph Lindenbergs rororo-Sachbuch „Waldorf-Schulen: angstfrei lernen, selbstbewußt handeln" (1975) oder Peter Schneiders „Einführung in die Waldorfpädagogik" (1982). Neben den anthroposophischen Verlagen im engeren Sinne haben

[1] An wichtiger Literatur aus dem engeren anthroposophischen Spektrum wären folgende Werke zu nennen (Auswahl):
Steiner, Rudolf, Allgemeine Menschenkunde als Grundlage der Pädagogik, (14 Vorträge) Stuttgart 1919; Anthroposophische Menschenkunde und Pädagogik, (9 Vorträge von 1923/24) Gesamtausgabe Nr. 304 a; Anthroposophische Pädagogik und ihre Voraussetzungen, (5 Vorträge von 1924) Gesamtausgabe Nr. 309; Die Erneuerung der pädagogisch-didaktischen Kunst durch Geisteswissenschaft, (14 Vorträge von 1920) Gesamtausgabe Nr. 301; Die Erziehung des Kindes vom Gesichtspunkt der Geisteswissenschaft, (Vortrag) Stuttgart 1985 (6. A.); Erziehung und Unterricht aus Menschenkenntnis, (9 Vorträge von 1920/23) Gesamtausgabe Nr. 302 a; Die Erziehungsfrage als soziale Frage, (6 Vorträge von 1919) Gesamtausgabe Nr. 296; Erziehungskunst, (29 Vorträge von 1919) Gesamtausgabe Nr. 294/295; Die geistig-seelischen Grundkräfte der Erziehungskunst, (13 Vorträge von 1922) Gesamtausgabe Nr. 305; Die Waldorfschule und ihr Geist, (3 Vorträge von 1919) Gesamtausgabe Nr. 297; Die Kunst des Erziehens aus dem Erfassen der Menschenwesenheit, (7 Vorträge von 1924) Gesamtausgabe Nr. 311.
Aeppli, Willi, Sinnesorganismus-Sinnesverlust-Sinnespflege, Stuttgart [3]1979; Brotbeck, Kurt, Durchbruch zur Menschenschule, Schaffhausen 1982; Fintelmann, K. J., Die Hiberniaschule als Modell einer Gesamtschule des beruflichen Bildungswesens, Stuttgart 1969; Grosse, Rudolf, Erlebte Pädagogik, Dornach [2]1975; Grunelius, Elisabeth M., Erziehung im frühen Kindesalter, Schaffhausen [4]1980; Hansmann, Otto (Hg.), Pro und Contra Waldorfpädagogik. Akademische Pädagogik in der Auseinandersetzung mit der Rudolf-Steiner-Pädagogik, Würzburg 1987; Hartmann, Georg, Erziehung aus Menschenkenntnis, Dornach [3]1976; Kiersch, Johannes, Die Waldorfpädagogik, Stuttgart [4]1984; Klein, Elisa-

sich auch „unverdächtige“ Verlage zunehmend dem Thema zugewandt[2], dies allerdings erst seit ca. 1975 (mit wenigen Ausnahmen[3]). Angesichts derartiger Öffentlichkeitswirksamkeit muß es als angebracht erscheinen, daß sich Außenseiter, d.h. Nicht-Anthroposophen und Nicht-Waldorf-Lehrer zunehmend dazu eigene Gedanken machen und diese zur Diskussion stellen[4] – von sachlich-kompetent bis unsachlich-destruktiv.

beth, Menschengemäße Erziehung, Schaffhausen 1976; Leber, Stefan, Die Sozialgestalt der Waldorfschule, Stuttgart ²1978; Die Waldorfschule im gesellschaftlichen Umfeld, Stuttgart 1981; Rittersbacher, Karl, Die Notwendigkeit des neuen Lehrer- und Erziehungsbewußtseins, Schaffhausen ²1984; Schwebsch, Erich, Erziehungskunst aus der Gegenwart des Geistes, Stuttgart 1953; Stein, Walter Johannes, Erziehungsaufgaben und Menschheitsentwicklung, Stuttgart 1980; Weitmann, Fritz, Aus dem künstlerischen Unterricht der Waldorfschule, Stuttgart 1981.

[2] Herder Verlag, Freiburg i.Br.: „Waldorfpädagogik in öffentlichen Schulen“ (1976)/Klett Verlag, Stuttgart: Edding, Friedrich/Mattern, Cornelia/Schneider, Peter, Praktisches Lernen in der Hibernia-Schule (1985)/Verlagsgemeinschaft Klett-Cotta, Stuttgart: Schneider, Peter, Einführung in die Waldorfpädagogik (1982)/Luther Verlag, Witten: Stieglitz, Klaus von, Die Christosophie Rudolf Steiners, (1955)/Jugend und Volk Verlag, Wien–München: Waldorfpädagogik – Weg zur Persönlichkeitsbildung, (1985)/Fischer-Taschenbücher, Frankfurt/M.: Leber, Stefan, Selbstverwirklichung – Mündigkeit – Sozialität (Nr. 5519); Wehr, Gerhard, Der pädagogische Impuls Rudolf Steiners (Nr. 5521) u.a./Rowohlt Verlag, Reinbek bei Hamburg: Brügge, Peter, Die Anthroposophen/(Spiegel-Bücher 1984)/Ullstein-Bücher, Frankfurt/M. (meist Lizenzausgaben).

[3] Z.B. von Stieglitz, Klaus, Rettung des Christentums. Anthroposophie und Christengemeinschaft, Stuttgart 1965; Kloss, Heinz, Waldorfpädagogik und Staatsschulwesen, Stuttgart 1955; Freie Schule. Gesellschaftliche Funktion des Freien Schulwesens in der Bundesrepublik Deutschland, Stuttgart 1971; Scheuerl, Hans und Kloss, Heinz, (Rezension) in: Zeitschrift für Pädagogik 3 (1957), Heft 1; Schrey, Helmut, Waldorfpädagogik. Kritische Beschreibung und Versuch eines Gesprächs, Bad Godesberg 1968; Prange, Klaus, Erziehung zur Anthroposophie. Darstellung und Kritik der Waldorfpädagogik, Bad Heilbrunn 1985; Ullrich, Heiner, Waldorfpädagogik und okkulte Weltanschauung. Eine bildungsphilosophische und geistesgeschichtliche Auseinandersetzung mit der Anthropologie Rudolf Steiners, München 1986; Barz, Heiner, Der Waldorfkindergarten. Geistesgeschichtliche Ursprünge und entwicklungspsychologische Begründung seiner Praxis. Weinheim–Basel 1984.

[4] Z.B. Beckmannshagen, Fritz, Rudolf Steiner und die Waldorfschulen. Eine psychologisch-kritische Studie, Wuppertal 1984 (lesenswert); Badewien, Jan, Anthroposophie, Konstanz 1985 (eher destruktiv); Huber, Joseph, Astral-Marx. Über Anthroposophie, einen gewissen Marxismus und andere Alternativen, in: Kursbuch 55 (1979), 139–161; Paulig, Peter, Die Bedeutung der Waldorfschulen

In den folgenden Ausführungen möchte ich weniger Trennendes aufzeigen und Angriffe gegen die Waldorfpädagogik starten aus welchen Positionen auch immer – als Erziehungswissenschaftler etwa oder als Theologe oder als ehemaliger Waldorfkinder-Vater oder als ehemaliger Lehrbeauftragter an einer Waldorfschule. Ich möchte vielmehr dem Trennendes nicht verschweigenden Diskurs einen Entwurf entgegenhalten, der vielleicht zur Grundlage werden könnte, auf welcher wir, nämlich Waldorflehrer, Anthroposophen, kirchlich verwurzelte Christen, theologisch denkende, aber nicht kirchlich gebundene Christen, akademische Erziehungswissenschaftler, Pädagogen an allerlei öffentlichen und privaten Schulen gemeinsame Verantwortung tragen, übernehmen und für sie einstehen können; eine Verantwortung gegenüber den Menschen, gegenüber Gott und gegenüber der Welt.
Ein solches Vorhaben übersteigt sicher die Möglichkeiten eines einzelnen Buches. Deshalb werde ich in zahlreichen Andeutungen steckenbleiben müssen, die also auch Gefahren in sich bergen: Gefahren zur Fehldeutung für all jene, die nur das hören können oder wollen, was ihre eigene Auffassung von der Sache belegt. Eindeutigkeit in bestimmten Positionen muß nicht auch schon Unversöhnlichkeit oder Verlust der Mitte bedeuten. Ich weiß, daß die darin verborgene Erwartung und Einladung zu unverhohlener Offenheit an die Grenzen des Erträglichen stößt, wenn sich Waldorflehrer und Anthroposophen einerseits als verletzt erleben durch Abgrenzungen aller Art, sei es durch Erziehungswissenschaftler wie Prange, Ullrich oder Wehnes, sei es durch Theologen wie Badewien, Stieglitz oder Scherer oder durch andere durchaus sachkundige Kritiker, die sich in der letzten Zeit mehren, wie Beckmannshagen oder Rudolph.[5] Andererseits erleben wir immer wieder diese Verletztheit auch auf seiten der Lehrer an öffentlichen Schulen, von deren Arbeit häufig gerade durch Waldorfleh-

für das allgemeinbildende Schulwesen in der Bundesrepublik Deutschland, in: Krems, Gerhard (Hg.), Waldorfpädagogik. Selbstdarstellung – Zustimmung – Kritik, Schwerte 1987, 35ff.

[5] Vgl. die vorangegangenen Quellenangaben; zusätzlich Rudolph, Charlotte, Waldorf-Erziehung. Wege zur Versteinerung, Darmstadt-Neuwied 1987.

rer scheußliche Karikaturen gemalt werden, vor deren Hintergrund die Waldorfschulen dann hell erstrahlen, oder auch auf seiten vieler sich in den christlichen Kirchen beheimatet fühlender Menschen, denen die Vorwürfe seitens einiger Anthroposophen und der Christengemeinschaft, sie lebten nur in Überkommenem und Unerleuchtetem, das Leben schwermacht. Trennendes nicht zu verschweigen und trotzdem unverhohlen offen zu sein für das seelisch-geistige Wesen im mir begegnenden Menschen, das ist unsere Aufgabe.

Alle Auseinandersetzungen mit der Waldorfpädagogik sollten hierin münden, daß wir aufmerksam werden für den Weg unserer Kinder in die Zukunft hinein, und wie wir diesen Weg begleiten können. Bei der Waldorfpädagogik beobachten wir immer wieder, daß das Kind einer Entwicklungsgesetzmäßigkeit unterworfen wird, die dem Ich-Selbst und Ich-Du des Kindes kaum noch Raum zum Atmen läßt; wir beobachten, wie wenig dort Kinder als entscheidungsfähig und dialogisch gestimmt verstanden werden. Ihre Erlösungsbedürftigkeit ist verdeckt von der Selbsterlösungssehnsucht. Aber all das stimmt auch bezüglich vieler anderer Schulen, nur aus einem anderen Blickwinkel. Ich habe noch nie so schlechte Schulen erlebt wie in meinem eigenen Kinderleben und wie in der Zeit, als meine Kinder verschiedene Gymnasien besuchten, die nicht nur keine unzureichende Pädagogik besaßen, sondern vom pädagogischen Gedanken gänzlich unbeleckt erschienen.

Wer mehr von der pädagogischen Mißratenheit der staatlichen Schulen im Gegenüber zur Waldorfschule verstehen möchte, der lese die Ausführungen vom Ordinarius für Pädagogik an der Katholischen Universität Eichstätt, Peter Paulig[6]. Aber es ist hier nicht der Ort, Gericht zu halten, sondern uns zu besinnen.

Die Rezension der Waldorfpädagogik bringt jeden Rezensenten in außerordentliche Bedrängnis. Die Stichworte enthalten nämlich

[6] Paulig, Peter, Die Bedeutung der Waldorfschulen für das allgemeinbildende Schulwesen in der Bundesrepublik Deutschland, in: Krems, Gerhard (Hg.), Waldorfpädagogik. Selbstdarstellung – Zustimmung – Kritik, Schwerte 1987, 35ff.

das Aufeinandertreffen zweier geistiger Welten und sind zugleich emotional belastet: Stehen denn Anthroposophie und Christentum, Waldorfpädagogik und öffentliche Pädagogik einander (feindlich, ausschließend oder ergänzend) gegenüber? Sind sie vielleicht in ihrem Selbstverständnis wechselseitig Teil des jeweils anderen – Anthroposophie als Spielart des Christlichen, Christentum integriert in Anthroposophie, Waldorfpädagogik als eine Spielart des öffentlichen Erziehens, öffentliche Schule als Teil jener pädagogischen Besinnung, die wir „Verantwortung" nennen? Wozu könnte eine solche Rezension dienen: zur Information des noch Uninformierten, zur Bekräftigung einer bereits vorhandenen Abgrenzung, zur Förderung des erst beginnenden Gesprächs, zur Ermutigung des bereits im Gespräch und in der Verantwortung Befindlichen?
Die Bedrängnis ist noch zusätzlich deshalb groß, weil das Thema und der mit ihm Befaßte nach wie vor zwischen zwei Mühlsteine zu geraten drohen, zwischen den Fundamentalismus beider Seiten. Ich selbst verfaßte 1986 / 1987 eine öffentliche Stellungnahme zum Thema[7]. Zwei Reaktionen seien als symptomatisch berichtet. Durch meine Schriften zog sich die Frage, ob es möglich sein könnte, daß Waldorfschulbewegung und Anthroposophie einerseits und christliche Kirchen oder christliche Theologie andererseits gemeinsam Verantwortung übernehmen könnten für eine Welt, für die sie getrennt sich bereits verantwortlich erklärt hatten. Dazu aber gehöre dann sicher die Frage, ob wir denn das gleiche Verständnis von Welt und Gott hätten, da ja nur so auch Verantwortung für Vergleichbares möglich wäre. Diese Frage sollte

[7] Vgl. Klöppel, Luig, (Hg.), Christliches und anthroposophisches Menschenbild – Ergänzung oder Widerspruch? (Holthauser Manuskripte 4 / 86), Lingen 1986; darin: Rest, Franco, Christliches Menschenbild im Gegenüber zur Anthroposophie, 35–58; Rest, Franco, Mensch werden – Mensch sein: Wege zu einem gelingenden Leben aus christlicher Sicht, 77–97. Ferner: Rest, Franco, Jenseits von Waldorf und Wassermann. Beiträge zur praktischen Anthropologie, Dortmund 1987; Rest, Franco, Waldorfpädagogik und christliches Menschenbild. EZW-Texte: Information 104, X / 1987; Rest, Franco, Waldorfpädagogik auf dem Hintergrund eines christlichen Menschenbildes, in: Kath. Akademie Schwerte (Hg.), Waldorfpädagogik – Selbstdarstellung, Zustimmung, Kritik. Schwerte 1987, 53–70.

nicht gelöst, sondern nur aufgeworfen werden, vor allem im Interesse der an Waldorfschulen für katholischen oder evangelischen Religionsunterricht Verantwortung Tragenden und der sich den christlichen Kirchen zugehörig fühlenden Eltern und Kinder. Antworten können nur im Dialog gefunden werden, für den wir möglichst viel vom jeweiligen Gesprächspartner wissen müssen, einander achten sollten und zuhören lernen müssen.
Die eine Reaktion kam von seiten der Anthroposophie und Waldorfpädagogik[8]. Dieser Artikel beantwortete meine Fragen seinerseits damit, daß sie „rein rhetorisch" seien, ich die Rolle des einzig zuständigen Christen eingenommen hätte, in „bornierter" Weise die Antwort „Nein" suggerieren wolle (also Anthroposophie und Christentum meinten nicht die gleiche Welt und den gleichen Gott), ich sei „unsachlich" und hätte „polemisch" und „arrogant" einen Alleinvertretungsanspruch für Christlichkeit an die Stelle von Sachargumenten gebracht; schließlich sei ich ein katholischer Dogmatiker, der nur alte kirchliche Ressentiments aufgewärmt hätte. Die anderen Reaktionen kamen aus Delft, Niederlande. Hier nun wurde mir der Vorwurf zuteil, ich wollte wohl ein Konkordat zwischen den christlichen Kirchen und dem anthroposophischen Okkultismus schließen, eine Verschmelzung zwischen antichristlicher Ideologie und Christentum. Meine Anregung, gerade Christen sollten sich mit anthroposophischem Schrifttum beschäftigen, sei ein unfairer Verrat des Christentums an Neuheiden und an eine Neue-Kelten-Religion; es müsse wohl bestritten werden, daß ich überhaupt christlich getauft sei. Vielleicht sei ich jedoch von anthroposophischen Ärzten indoktriniert; nur Gottes Segen könne mich von diesem Ungeist erlösen.
Dieser Exkurs in die eigene Publikationsgeschichte unterstreicht die Bedrängnisse, denen viele Verfasser ausgesetzt sind, sofern sie sich dem Verhältnis von Christentum und Anthroposophie widmen möchten. Bernhard Grom[9] spricht von den „streitbaren Tö-

[8] Schirmer, Heinrich, Sachlicher Dialog? Zu der Schrift von Franco Rest: Waldorfpädagogik und christliches Menschenbild, in: Erziehungskunst 1988, 128–133.
[9] Grom, Bernhard, Anthroposophie und Christentum, München 1989, 10.

nen", denen er ausgesetzt war, und von dem Wunsch, das sachlich-argumentative Gespräch möge die Polemik ablösen. Andreas Binder[10] meint gar aus der „gegenwärtigen Situation einer teilweise militanten kirchlichen Abgrenzung" die Folgerung ziehen zu müssen, seinen bürgerlichen Namen zu verschweigen. Klaus von Stieglitz[11] hatte in seiner grundlegenden Schrift bereits auf das Problem der „Gegnerschaften" aufmerksam gemacht. Dem „Gegner" wird schuldhaftes Verhalten und absichtliche Kränkung vorgeworfen. Zuschreibungen solcher Gegnerschaft mögen ihre Begründungen finden; ihre Aufdeckung sollte jedoch der geistigen Auseinandersetzung und der jeweiligen Entscheidung dienen oberhalb der „Gegen"-sätze.

Das jüngste Buch zur Thematik, eine Dissertation an der kath. theologischen Fakultät Freiburg/Br. von Wolfgang Schneider aus dem Jahre 1991[12] geht dem angedeuteten Dialog-Problem geschickt aus dem Wege, indem es das zu erwartende Urteil abschließend definiert, um es dann lang und breit, d.h. auch durchaus fleißig zu belegen. Dieses Urteil setzt sich aus zwei Prämissen zusammen: Die pädagogische „Dignität" (Würde) der Waldorfpädagogik ist abhängig von der philosophischen der Anthroposophie, die es jedoch bei genauem Hinsehen letztlich nicht gibt, so daß es auch die erhoffte Würde für die erzieherische Praxis nicht geben kann; es wird immer nur glühende Verehrer oder eine abschließende Verdammnis für die Waldorfpädagogik geben, weil, was dazwischen liegt, keinen wissenschaftlichen Rang haben kann. Also läßt diese Untersuchung fröhlich alle vermittelnden Verfasser (Stieglitz, Köberle, Rest, Barz, Paulig, Salzmann, Oppolzer usw.) unberücksichtigt, wiederholt (nur im philosophischen Gewand) ausgerechnet die Aburteilung durch Badewien und erklärt das Dialogangebot z.B. von Grom schlicht als „naiv". Angeblich ist der

[10] Binder, Andreas, Wie christlich ist die Anthroposophie? Standortbestimmung aus der Sicht eines evangelischen Theologen, Stuttgart 1989, 8.

[11] Stieglitz, Klaus v., Die Christosophie Rudolf Steiners. Voraussetzungen, Inhalt und Grenzen, Witten/Ruhr 1955, 13.

[12] Schneider, Wolfgang, Das Menschenbild der Waldorfpädagogik (Freiburger theologische Studien, Bd. 147). Freiburg/Br. 1991.

Verfasser einer der ersten, der den zentralen Stellenwert des Person-Verständnisses und der Freiheit bei Steiner als Fundamente der Waldorfpädagogik erkannt hat, obwohl die genannten Denker dem durchaus nachgegangen sind. Auf der Grundlage solcher wissenschaftlichen Blindheit erfolgt dann das Verdikt: „Auf dem Grunde von Steiners Anthroposophie kann es keine Pädagogik geben, in deren Mitte der Mensch als Person steht" (33). „(Waldorf)Erziehung ist, bar jeder personalen Substanz, in einem anthroposophischen Verständnis die Erziehung zum apersonalen Menschen" (307). Also bedarf es auch überhaupt keiner Auseinandersetzung mit dem tatsächlichen pädagogischen Handeln; es reicht das philosophische Anathema (in katholischer Tradition). Ist es denn wirklich (noch) nötig, Dialoge aufzukündigen, ehe sie begonnen haben? Wurde denn auch nach-konziliar nichts hinzugelernt aus der Schuld derer, die verurteilen? – Das vorliegende Buch wird diese ausgetretenen Pfade des Umgangs mit „Andersdenkenden" bewußt verlassen. Die tatsächlich vorhandenen und auch bei W. Schneider wieder ausführlich und kenntnisreich belegten Unvereinbarkeiten sind zu benennen und verständlich zu machen; aber die Schuldenlast auf der Seite des Betrachters ist zu groß, als daß er nicht konstant und hartnäckig die gemeinsame Verantwortung vor den Menschen unserer Zeit und vor Gott einklagen muß. „Dialog" ist eine Grundlage menschengemäßer Erziehung; wie aber kann sie es sein, wenn ihre „Theoretiker" sich nicht selbst stetig im Dialog üben.

Die Frage nach der Unterscheidung lautet: Ergänzung oder Widerspruch? Ich vermag diese Frage so nicht zu beantworten. Selbst einer der großen und härtesten Kritiker Rudolf Steiners, Ernst Bloch, kam nicht annähernd an eine Verurteilung heran. Wenn er zwar meint, die Maske herunterreißen zu können, so läßt er vor dem Hintergrund seiner Enzyklopädie der menschlichen Sehnsüchte doch dem Ergänzenden Raum: „Die theosophische Kolportage hat mit dem Mysteriösen, gar mit den christlichen Mystikern alter Zeit nicht einen einzigen Punkt ernstlich gemein. Dennoch kann sie zeigen, wo so manche Hybris ins nicht für sie Gebaute einbrach. Wo sich Rabbi Löw mit dem Archetyp Astarte herumschlug und wo die Hüter der Schwelle gefürchtet wurden, kurz, wo das Subjekt gerüstet war, wenn es hinter den Vorhang in geglaubte Überwelten eintrat. Mit ‚Christusimpuls' hat das nichts gemein, wohl aber mit den Atavismen und Gärbildern, den Zwischenreichen und Götzenbildern, die ihm vorhergehen. Auch hat der junge Goethe den Faustzauber durch die Rosenkreuzerei sich näher verstehen gelernt als etwa durch Nicolai."[13] Und unter der Überschrift „Geheimniskrämerei als Großbetrieb" schreibt er: „Dann herrscht Steiner, geschwätzig und viertelsgebildet, hat Geheimes zu versenden. Man erfährt vom wenig dichten Leib früherer Menschen, und daß die heutigen Knorpeln des Kindes dessen der Rest sind. Eine Abfolge von sieben mal sieben Unterrassen innerhalb der sieben Wurzelrassen faßt das Ganze der geschichtlichen Entwicklung ein, wobei die Welt eine Schule ist und ihren Gang ein Pensum abarbeitet. Lehrer aber sind die sogenannten Geisteswesen, von der Zeit an, als die Erde noch feucht-innerlich war, bis zum fernen Ziel, wo auch sie verengelt wird, nämlich zu Seelendunst ... gerade sogenanntes ‚Christentum' ist hier völlig in verspukte Natur versenkt, zugleich auch (denn diese Geheimwissenschaft ist modern) eine Art gnostischer Lückenbüßer Haeckelscher Welträtsel geworden. Dies Sonnenwesen Christus ... präparierte lange vor den Neuheiden oder ‚deutschen Christen' einen Naturgott für nordischen Faschismus: daher die Adaptierung Jesu auf Siegfried, der Bibel auf nordgermanische ‚Einweihungen' ... Steiners Mysterien sind jedes Orts atavistischer Spuk, trivial gewordener Astralmythos, travestierte ‚Naturwissenschaft'. Doch auch ihr Lager ist recht vielseitig: Malerei, Farbenlehre, Tanzkunst, ‚Demeter-Bewegung' in der Landwirtschaft, Dramaturgie, Botanik, Physik, Geologie, Astrologie, Säfte-Medizin, Geister-Medizin, Metallurgie, Sozialpolitik, Aristoteles, Urgeschichte, Astrophysik – kurz alle Geisteszweige und Hexenbinsen werden hier, mit wahrhaft enzyklopädischer Konfusion, ausgerissen und zum Strauß gebunden ... (sieht man ins Dunkel, sagt Yeats, so ist immer etwas

[13] Bloch, Ernst, Prinzip Hoffnung, 1398.

drin)."[14] Diesen kenntnisreichen Ausführungen von Ernst Bloch ist eigentlich nichts hinzuzufügen; ich fühle mich vielmehr auch diesem Philosophen für die Aufdeckung von „Frag-Würdigkeiten" durchaus verbunden.

Ich habe die Vermutung, daß wir uns an einem Wendepunkt der Erziehungsgeschichte befinden. Über viele Jahrhunderte war das *Kind Verantwortungsträger* wie viele andere Verantwortungsträger auch; es hatte körperlich zu arbeiten, für den Unterhalt einer Familie mitzusorgen, trug Verantwortung für Eltern und das ganze Gemeinwesen. Dann geriet das *Kind in die Kindheit*; oft war diese Kindheit dann nur Kindlichkeit; Kindchenschemata bestimmten diese Epoche ebenso wie das Prinzip der Kindgemäßheit, kindlichen Anschaulichkeit, der Noch-Nicht-Verantwortlichkeit, Noch-Nicht-Mündigkeit. Kindheit wurde vom Kinde aus, nicht vom Erwachsenen her betrachtet und bemessen; aber das Kind war nur deshalb Kind, weil es von den Erwachsenen so definiert worden war, die über Kindheit immer mehr zu wissen schienen als das Kind selbst. Dieses Primat des Wissenden gegenüber dem Unwissenden hat sich bis in die Reformpädagogik und Waldorfpädagogik hinein erhalten, ja es hat wunderbare Formen angenommen. Man vergleiche nur die wenigen wertvollen Kinderdarstellungen in der Kunst, wie sie sich von den Bildern vom Jesuskind und vergleichbaren Mutter-Kind-Darstellungen bis Paula Modersohn-Becker oder Käthe Kollwitz entwickelt haben; vom spielend-verspielten zum ernsten Kind, das die Geheimnisse besser zu kennen scheint als die Erwachsenen und die Betrachter. Das Kinderbild ist aus der modernen Kunst weitgehend verschwunden. Was deutet sich da an?

Das Kind ist nicht und sollte es nicht mehr werden passiver *Verantwortungsträger*; es ist auch nicht und wird nicht länger sein das *kindliche Kind*, das *Kind in der Kindheit*. Wir sollten unser ganzes Augenmerk richten auf dieses *Kind als Ich-Selbst und Du*, entschei-

[14] Bloch, Ernst, Erbschaft dieser Zeit, 192. Unter „Atavismus", einem Kunstwort seit 1850, wird das Wiedererscheinen von Eigenschaften entfernter Vorfahren verstanden; im übertragenen Sinne auch der Rückfall in urtümliche und primitive Zustände.

dungsfähig, ein gestalt-gewordener Gedanke, erlösungsbedürftig, dialogisch gestimmt. Davon wird in den folgenden Kapiteln die Rede sein.

Erziehung und also auch die Waldorfpädagogik haben sich der heutigen Lebenssituation zu stellen. Aber wie das zu geschehen habe, war die erkenntnisleitende Frage auf einer sogenannten Michaeli-Tagung[15] 1987, bei der ich das Augenmerk der Zuhörer nicht auf die Lebenssituation und deren oft schauerliche Beschreibungen, sondern auf die Ver-Antwortung lenken wollte. Denn Ver-Antwortung enthält ja sowohl die Antwort auf gestellte Fragen als auch auf einen erfolgten Anruf. Verantwortung ist das bewußte und pflichtgemäße Einstehen für Antworten, die ich einem Frager oder Anrufer zu geben bereit bin. Fragen aber werden weniger von der Lebenssituation als von je einzelnen Menschen gestellt. Angerufen sind wir von Anbeginn durch die Mitmenschen und dauernd, unverbrüchlich durch Gott.

Antworten unterliegen einer Regel der „Pünktlichkeit"[16], soll heißen:

– Ich darf nichts antworten, wenn ich nichts zu sagen habe, was ich so formulieren könnte, daß es auch prüfbar und nachvollziehbar wäre. Deshalb wird in diesem Buch auch eine verständliche Sprache gesucht sowie an praktischen Beispielen der Nachvollziehbarkeit aufgeholfen.

– Das, was ich antworte, sollte jeder mir möglichen Prüfung standhalten können, und auch dann antworte ich nur mit dem Vorbehalt, daß meine Antworten irgendwann einmal korrigiert werden könnten, also keine absoluten Wahrheiten sind. Es gibt keine Letzt-Einschätzung der Waldorfpädagogik; und diese sollte versuchen, selbst auch nicht so zu tun, als gäbe es sie.

[15] Neben dem 24. Juni (Johanni-Fest) wird in waldorfpädagogischen Einrichtungen am 29. September jährlich das Michaels-Fest gefeiert, mit Mutproben und „Drachenkampf" für die kleinen und einer Tagung mit den größeren Schülern zu den dämonischen Kräften der Jetztzeit. Der Erzengel Michael ist nach Steiner seit November 1879 (dem Jahr, in welchem Steiner seine Goethe-Studien begann) der leitende Engel der Weltgeschicke.

[16] Zu diesem Begriff vgl. Scholz, Heinrich, Mathesis universalis, Münster/W. 1934.

– Ich antworte nur, wenn ich den Unterschied erkennen lasse zwischen dem, was ich beweisen und was ich nicht beweisen kann, weil es z. B. die Voraussetzung für meine Antwort ist; ich vermische also nicht meine Er-Kenntnisse mit meinen Be-Kenntnissen. Vielleicht wird dieser Anspruch in dem vorliegenden Buch nicht ganz erfüllt, weil die Ausgangsfrage „Unterscheidung" nach einer wechselseitigen Prüfung des Erkannten und des Bekannten verlangt. Trotzdem bleibt der Anspruch der versuchten Nicht-Mischung.
– Meine Antworten werden schließlich verantwortet vor allem durch den Protest gegen alle anderen Antworten, die nicht geprüft werden können oder einer Nachprüfung nicht standhalten oder die voraussetzenden Be-Kenntnisse nicht streng genug von den daraus resultierenden Er-Kenntnissen trennen. Rudolf Steiners „Er-Kenntnisse" lassen diese Differenzierung leider nicht erkennen, da seine Geist-Erkenntnis, wie wir noch sehen werden, aus einer nicht-prüfbaren „höheren" Welt stammt, an welche nur ein unumwundenes Be-Kenntnis sich wird annähern können. Aber der Thron meiner bekennenden Liebe ist durch den besetzt, der mich erkannt hat, und kann deshalb durch keinerlei anderes Be-Kenntnis mehr besetzt werden.

Mit diesen Merkmalen meiner Rede ausgestattet, wenden wir uns dem Anruf der Menschen und Gottes zu. Als Zauberschlüssel zu den letzten Antworten des Lebens und Sterbens bietet sich uns nicht mehr die Reflexion, sondern einzig das Gebet an, die „Humilitas des Geistes", die demütige Hinwendung an den, der mich angerufen hat: „Du hast mich bei meinem Namen gerufen, ich bin Dein!" Wir werden in den folgenden Ausführungen erfahren, wie wichtig diese Voraussetzung ist; denn sehr häufig scheinen mir die genannten Merkmale in der weltanschaulichen Grundlage für die Waldorfpädagogik, der Anthroposophie, nicht eingehalten. Ob es mir gelingt, dem selbstgestellten Anspruch zu genügen, müssen die folgenden Kapitel erweisen.

Die Meisterung unseres Lebens als Eltern, Erzieher, Lehrer und die Meisterung des Lebens durch unsere Kinder ist also keine Aufgabe der Vervollkommnung des einzelnen, seiner Höherentwicklung zu den großen Lösungen, seiner privaten Mensch-Ich-Werdung, seiner individuellen Haltungen, sondern der lauteren, redlichen, dialogischen Wechselbeziehung des Menschen zu dem Ganzen seiner Mitwelt, Geschichte und Zeit. Und das wiederum unbeirrt und bescheiden als gelebtes Gebet, wie es Sören Kierkegaard sprach im Wissen darum, daß Gottes Liebe zu uns immer größer ist als unsere Liebe zu den Menschen, zu uns selbst und zu ihm: „Wie sollte man recht von der Liebe reden können, wenn man Dein vergäße, du Gott der Liebe, von dem alle Liebe kommt im Himmel und auf Erden; Du, der nichts sparte, sondern alles hingab in Liebe; der Du die Liebe bist, so daß der Liebende nur das ist, was er in Dir ist."

Wenn wir das „was ich tun kann" den Lösungen, die „man schon finden wird", gegenüberstellen, sieht das so aus, als läge die Hoffnung auf den Schultern der einzelnen. Aber auch für das Grauen sind immer „einzelne" – oder besser „einzige"[17] – verantwortlich gewesen: Einzige vollziehen z. B. die „Endlagerung des kollektiven Gewissens" (Habermas) etwa bei Historikern, New-Age-Esoterikern und Rudolf Steiner-Jüngern, wo oft allzu alte Mythen gepflegt werden, als habe der Germanenkult nicht neben Auschwitz gestanden, als sei die Natur mit solchen Geheimnissen ausgestattet, wie sie auch „Blut und Boden" verkündeten usw.; immer wieder ziehen sich einzige zurück auf die eigenen Fähigkeiten, auf die „Selbstverwirklichung" oder auf einen Kult des Ich und Selbst, wodurch sich Menschen aus der kollektiven Verantwortung stehlen. Diesem einzigen tritt der einzelne gegenüber, der seinen Lebenssinn nur im Dialog – nicht in der Diskussion oder im Disput, auch nicht im Diskurs – findet. Der einzige ist nicht erlösungsbedürftig, sondern unterwirft sich der Entwicklung oder erzwingt seine Belehrung; er beansprucht Allmacht, versucht eine „holistische" Gesamterfassung und -erklärung der Welt und des Menschen, neigt zu einem Kult des Elitären und der Autarkie. Der einzelne dagegen ist demütig, weiß um seine Erlösungsbedürftigkeit und wendet sich dem Schwachen zu.

[17] Der Begriff stammt aus dem von Rudolf Steiner verehrten Buch Max Stirners, Der Einzige und sein Eigentum. Leipzig 1844: „Mir geht nichts über mich!"

So brauchen wir also eine Erziehung von einzelnen für einzelne, eine „dialogische Erziehung", eine Ethik der dialogischen Einzelheit: eine Erziehung des Schuldbekenntnisses; eine Erziehung des Verhältnisses des einzelnen zur Menschheitseinheit; eine Erziehung zur Anerkenntnis der Heiligkeit des Unbegreiflichen und Ganz-Anderen; eine Erziehung zur Verantwortung für Gottes Vollendung in den Leidenden, Gefolterten, Verhungernden, Vergewaltigten, Verstrahlten und Vergasten.

Denn Gott hat sich in die Hände der Menschen begeben. Das Erschaudern vor dieser Tatsache kann nur von einzelnen in Demut ertragen werden. Wie solche demütigen einzelnen zu erziehen seien, ist eine Frage von größter Eile, da die derzeitigen Machteliten weder in großen Zeiträumen denken noch die Einheit der Menschheit wirklich im Auge haben, noch auch „fromm" genug sind, mit den Opfern gemeinsam zu beten. Vielleicht gelingt es dem Erziehungsdenken unserer Tage zusammen mit der Waldorfpädagogik, die richtige Antwort auf diese Herausforderung zu finden; die anthroposophische Pädagogik ist diese Antwort selbst sicher ebensowenig wie andere überkommene Pädagogiken.

Die hier vorgelegte Darstellung der Herausforderung für jede öffentliche und für christliche Pädagogik durch die Waldorferziehung möchte deshalb versuchen, einige Prinzipien zu beachten:

- Trennendes nicht verschweigen, sondern deutlich und unmißverständlich benennen;
- die eigenen Schwächen erkennen und mit dem Spiegelbild konfrontieren;
- die eigenen Stärken besinnen und sich bei ihrer Betrachtung an die fehlende Deckung mit gelebtem Leben erinnern;
- den Dialog suchen.

I. Kapitel: Eine „Waldorffamilie" im Kontext

Zwei junge Menschen, nennen wir sie *Er* und *Sie*, trafen sich erstmalig 1963 in einer westdeutschen Universität: Beide studierten katholische Theologie und Erziehungswissenschaften, *Er* außerdem Philosophie und Kunstgeschichte, *Sie* mit Schwerpunkt Germanistik und englische Sprache; gleichzeitig waren beide an der örtlichen pädagogischen Hochschule immatrikuliert, um zunächst „VolksschullehrerIn" zu werden. Beide waren also Kinder des Zweiten Weltkrieges und der Nachkriegszeit; sie lernten einander lieben, heirateten 1968, bekamen ihr erstes Kind, ein Mädchen, 1970, ihr zweites Kind, einen Jungen, 1972. Sie schickten ihre Kinder schließlich auf die Waldorfschule, wodurch sie „Waldorfeltern" wurden. *Sie* war Lehrerin, *Er* war Lehrer – aber sie waren noch einiges andere; doch davon später. Heute sind die Kinder aus der Schulpflicht heraus und die Eltern haben kaum noch „Identifikationen" mit der Waldorfschulzeit ihrer Kinder; sie haben diese Zeit und den dort erlebten Geist aus ihrem Leben weitgehend entfernt, weil anderes erheblich wichtiger wurde. Nur ganz selten noch steigt in ihnen die Frage hoch: Wie kam es eigentlich dazu, daß wir fast 20 Jahre unseres Leben an etwas „verschwendeten", wovon wir heute nichts mehr wissen wollen?

Als Einstieg in die Beschäftigung mit der „Unterscheidung" der sogenannten Waldorfpädagogik von der „öffentlichen, staatlichen, allgemeinen oder auch Regel-Pädagogik" und von einem „christlichen Verständnis" von Erziehung soll eine – nicht nur fiktive – Lebensgeschichte dienen. In den Gestalten zweier Eltern und zweier Kinder möge sich spiegeln, wie Entscheidungen zugunsten der Waldorfpädagogik fallen, wie das Leben an *einer* Einrichtung der Waldorfpädagogik sich entfaltet, wie es zur *Unterscheidung* kommen kann, worauf sich Verehrung und Abwehr gründen und vieles mehr. Diese Lebensgeschichte enthält keinen „Prototyp", sondern nur Exemplarisches; ihre Übertragung auf andere Lebensgeschichten ist ein Wagnis, aber eines, das sich lohnen könnte.

Wer in den Kriegsjahren geboren wurde (und es ist immer wichtig, sich den historischen Punkt des eigenen Werdens zu vergegenwärtigen), konnte auf einer Erfahrung aufbauen, die auch Bedingung für das Entstehen der Waldorfschulen war; diese waren ja nach dem Zusammenbruch des Kaiserreiches 1918 in Deutschland entstanden. Krieg und Nachkriegszeit schaffen eine Stimmung von Aufbruch und Neubeginn: etwas „Anderes“ soll nun bestimmend werden.

Eine solche Stimmung oder – wie es die Waldorfpädagogen vielleicht bezeichnen würden – ein solcher „Impuls“ begleitete also unsere beiden Menschen, als sie sich aufmachten, ihre künftige pädagogische Welt selbständig aufzubauen: Ihr politischer „Topos“ war die studentische Bewegung, die außerparlamentarische Opposition, das Aufbegehren gegen die „etablierten Autoritäten“; ihr religiöser „Topos“ war der Aufbruch, das Aggiornamento in den Kirchen, eine Öffnung für die Welt und zu den „Andersgläubigen“; ihre Kulturbegriffe lauteten: Partizipation, Kreativität, Alternative, Emanzipation, Selbstbewußtsein, Toleranz[1]; ihr Ziel war die Erfüllung einer sittlichen, geistigen und gesellschaftlichen Utopie; ihre Leitbilder dazu folgten den Namen Ernst Bloch, Johannes XXIII., Heinrich Böll, Boris Pasternak, Erich Fromm, Bertold Brecht, u. a.

Beide beschäftigten sich immer wieder mit übergreifenden Fragen wie: Was könnte diese „Hypothek“, die sie in ihre Ehe einbrachten, für ein pädagogisches Selbstverstehen, für den pädagogischen Beruf und für ein Familienleben mit Kindern bedeuten? Gibt es eine erzieherische Übersetzung des „Hermeneutischen“, des methodischen Verstehens einer Wirklichkeit und der verschiedenen Texte, mit denen sie sich im Studium beschäftigten[2]? Gibt es eine

[1] Vgl. Michel, Karl Markus, Der Grundwortschatz des wissenschaftlichen Gesamtarbeiters seit der szentifischen Wende, in: Habermas, Jürgen (Hg.), Stichworte zur „Geistigen Situation der Zeit“, Bd. 2, Frankfurt/M. 1979, 817–841.

[2] „Hermeneutik“ galt in den 60er Jahren als Inbegriff von „Geisteswissenschaft“, wobei dieser Begriff von der Rudolf-Steiner-Pädagogik völlig anders verstanden wird, nämlich ohne den von Dilthey und Gadamer her geprägten hermeneutisch-pragmatischen Ansatz. Vgl. Flitner, Wilhelm, Das Selbstverständnis der Erziehungswissenschaft in der Gegenwart, Heidelberg ^{3}1963.

Erziehung, welche der eigenen Enzyklopädie der Sehnsüchte und der gemeinsamen Utopie wenigstens in der Annäherung entspricht?

Wer damals seine geistige Heimat nicht im Rationalismus oder logischen Positivismus gefunden hatte, vertiefte sich in Existentialismus, marxistisch-kritischer Theorie, Phänomenologie oder geisteswissenschaftlicher Hermeneutik, sofern er überhaupt nach einer geistigen Verwurzelung suchte; ein Rudolf Steiner oder die Anthroposophie und Esoterik waren weitgehend außerhalb des Blickfeldes für jene, die nicht „erblich belastet" waren, wie das junge Paar, dessen Weg wir verfolgen wollen. *Sie* beschäftigte sich in ihrem Studium besonders mit der Pädagogik Maria Montessoris (1870–1952), deren erstes Kinderhaus bereits 1907 entstanden war, die ihr erstes pädagogisches Werk 1909 vorlegte, das bereits 1913 ins Deutsche übersetzt wurde.[3] Montessori und Steiner sind zwar zeitgleich und gehören (mutatis mutandis) zur sogenannten Reformpädagogik, aber bei diesen Studien war es kein Thema, daß Montessori der kindlichen Entfaltungsfähigkeit und der Selbsttätigkeit beim Lernen mindestens ebensoviel zutraute wie die Waldorfpädagogik; und auch ein Vergleich des offenen Welt- und Menschenbildes Montessoris mit der festen Option für ein bestimmtes Betrachten der Welt und des Menschen bei Rudolf Steiner wurde nicht gezogen. Und doch wurde bei *Ihr* durch diese Beschäftigung das Interesse für jenes Vakuum in der Erwachsenenwelt gestärkt, das dem kindlichen Wesen eigentlich keinen Raum läßt, weil es in dieser Welt eben immer „nur" um Wissensvermittlung geht.

Folgerichtig mündeten *Ihre* Studien in eine Untersuchung zur „Pädagogik der Stille", einem Unterrichtsprinzip, von dem damals nur wenige Menschen etwas verstanden und überhaupt wissen wollten; schließlich standen die neuen Medien im Vordergrund

[3] Montessori, Maria, Selbsttätige Erziehung im frühen Kindesalter. (Il metodo della pedagogia scientifica applicato all'educazione infantile nelle case dei bambini) Stuttgart 1913. Der Vergleich zwischen Montessori- und Waldorfpädagogik ist vor ihrem historischen Standort außerordentlich interessant. Vgl. Forster, Karl, Gutachterliche Stellungnahme zur Frage einer Einbeziehung der Zielsetzungen der Waldorf- und Montessori-Pädagogik in die Gestaltung des Unterrichts an öffentlichen Schulen, München 1977.

des Interesses mit ihrer Schall- und Bildfülle. Von der freien Stillarbeit hatte Maria Montessori gesprochen und den stillen Zeiten einen besonderen Stellenwert im Schulalltag zuerkannt. „Aus einem Naturgeschöpf wird ein Vernunftgeschöpf, das durch Sammlung und Stille zum sozialen Menschen heranwächst, das in der Harmonie des Gedankens und der Bewegung, des freien Willens und der Tat seine sittliche Persönlichkeit bildet."[4] War das vielleicht ein Gedanke, der durch die künftigen Berufsjahre tragfähig bliebe? Diese Kombination aus Gedanken, Bewegung, freiem Willen und Tat – könnte das dem Bild vom Kind entsprechen, das auch verantwortete Elternschaft ausmacht?

Er hatte die Pädagogik zunächst als Nebenschauplatz der theologischen Fragen nach dem Menschen und der politischen nach der Entwicklung des gesellschaftlichen Bewußtseins betrachtet. Sollte es nicht möglich sein, gerade aus Respekt vor der Einzigartigkeit des Kindes, das ökonomische Leistungsprinzip und das Bewerten von Menschen mit Zensuren künftig abzuschaffen, den Lehrertyp des Herrschenden und Machtausübenden demokratisch zu ersetzen und die systemimmanenten Diskriminierungen durch Sitzenbleiben und Aussondern von behinderten, fremdländischen usw. Kindern zu unterbinden? Das waren die gleichen Fragen in anderem Gewande; und auf solche Fragen lagen vielfältige Antworten bereits vor: die Jena-Plan-Schulen[5] z. B., die den „Bankrott der Jahresklassen" und die Gleichmacherei der Leistungsklassen erkannt hatten und also kein Sitzenbleiben, aber eine Schulgemeinde und erzieherisches Feiern vorsahen; oder die Idee der Arbeits-, Produktions- und Landerziehungsschulen sowie die sogenannte Kollektiverziehung[6], bei welcher die schulische Klas-

[4] Montessori, Maria, Grundlagen meiner Pädagogik, in: Handbuch der Erziehungswissenschaft, Bd. III. 1, München 1934, 284.

[5] Petersen, Peter (1884–1952), Der kleine Jena-Plan, 1927. Der pädagogische Entwurf wurde seit 1924 an der Universitäts-Übungsschule in Jena erprobt. Im Gegensatz zur Waldorfschul-Bewegung meidet Petersen nicht den Kontakt mit dieser, sondern betreut bereits seit 1926 eine Dissertation zum Thema: Staedke, Ilse, Schiller und die Waldorfpädagogik, Leipzig 1929.

[6] Besonders eindrucksvoll und in den 60er Jahren heftig diskutiert: Anton S. Makarenko (1888–1939) mit seinen Hauptwerken „Flaggen auf den Türmen" und „Pädagogisches Poem".

sengesellschaft aufgehoben schien und sich das Individuum ohne Verlust seines inneren Wertes dem gemeinschaftlichen Interesse verpflichtet fühlt. „Achtundzwanzig Unpolitische und drei Faschisten macht 31 Faschisten", hieß es damals; und *Er* suchte nach einer wirklichen „Pädagogik nach Auschwitz", nach einer Schule ohne jenen Feudalismus, der als trojanisches Pferd der Demokratie in der Schule gilt.

Als Assistent an der Universität in Freiburg / Br. begegnete *Er* erstmals den Anthroposophen und der Waldorfpädagogik. Mit einem erziehungswissenschaftlichen Seminar fuhr *Er* nach Dornach, wo das Goetheanum steht, die freie Hochschule für anthroposophische Geisteswissenschaft, in welcher sich jeder Lehrende wie Lernende als „wirklicher Repräsentant der anthroposophischen Sache vor der Welt" verpflichten muß. Auf dem Wege dorthin sagte der keineswegs anthroposophische Seminarleiter, alle Exkursionsteilnehmer sollten versuchen, in Dornach nur zuzuhören und Fragen zu stellen ohne zu urteilen, zu beobachten ohne zu bewerten; alle Einschätzung habe dann wieder im Seminar in Freiburg zu geschehen. Heute noch spürt *Er* die Unbehaglichkeit auf diesem „anderen Stern", das Gewaltige, ja die „Vergewaltigung", die von dieser „betongewordenen Riesenschildkröte", von diesem „grauverspielten Uterus", wie sich einige Studenten später ausdrückten, ausging.

So waren beide reif für die Auseinandersetzung mit der gewaltfreien Erziehung, die bald „antiautoritär" genannt wurde.[7] Sie fuhren nach Südengland zu jener Schule, die A.S. Neill 1921 gegründet hatte, und lernten dort eine der letzten Vollblutpädagogiken dieses Jahrhunderts kennen, deren Wurzeln in Deutschland lagen, nämlich bei Émile Dalcrozes Bildungsanstalt in Hellerau; in ihr war jene „rhythmische Gymnastik" entstanden, mit welcher

[7] Neill, Alexander S., Summerhill. A radical approach to child rearing, New York – London 1960 (dt. Theorie und Praxis der antiautoritären Erziehung. Das Beispiel Summerhill, München 1965). Erste Entwürfe zu diesem Buch waren bereits enthalten in: Neill, Alexander S., That dreadfull school, New York 1936, und The problem child, 1926. Auch dieser späte Pädagoge war also fast zeitgleich mit der Waldorfpädagogik tätig geworden.

die Eurythmie[8] von Rudolf und Marie Steiner so viel geistige Verwandtschaft pflegte. Aber davon wußten sie beide damals in Summerhill noch nichts; und doch faszinierte sie die Leichtigkeit des Umgangs mit Kindern und der hohe wechselseitige Respekt zwischen Lehrern und Schülern. Wo könnte eine solche Schule aufgefunden werden mit einer Selbstverwaltung durch alle, mit der Freiheit für oder auch gegen Unterricht, mit der Freiheit für Spiel, wann immer es gebraucht wird, mit der Freiheit von jeglicher Indoktrination religiöser, moralischer oder politischer Art, ohne jedes Zurechtbiegen eines kindlichen Charakters? Deutschland, so suchte ihnen A. S. Neill zu verdeutlichen, enthalte diesbezüglich wenig Hoffnungsvolles, seitdem der Faschismus alle Impulse zerstört habe.

In dem Jahr der Geburt des ersten Kindes 1970 wurde *Er* Hochschullehrer; und nun folgten für beide die Ereignisse in schneller Folge, welche sie zu „Waldorfeltern" machen sollten. Ein Kollege wandte sich an sie: „Ihr seid doch Pädagogen; in der Stadt, wo wir bislang wohnten, gingen unsere Kinder auf eine Montessori-Schule; nun sind wir hierher gezogen, und hier gibt es keine solche Schule. Was könnt ihr uns raten?" So erkundigten sie sich über die Schullandschaft ihrer Stadt. Sie stellten fest, daß es außer den üblichen öffentlichen Schulen einige konfessionelle Grundschulen, eine einzige Gesamtschule, ein sehr anspruchsvolles und elitäres katholisches Mädchengymnasium und eine Waldorfschule gab. Der offene und soziale Geist der Gesamtschule[9] war nahezu un-

[8] Nach Steiner eine „beseelte Körperkultur", eine Vereinigung von Sprache oder Musik mit Bewegung, ein besonderes Erwachen der Seelenkräfte durch die tänzerische Bewegung; Seele soll sich in Bewegung ergießen. Unterrichtsfach in allen Schuljahren, incl. Kindergarten.

[9] Im Jahre 1969 hatte der Deutsche Bildungsrat einen Gedanken aus den Jahren nach dem ersten Weltkrieg aufgegriffen, der damals als „nationale" oder „deutsche Einheitsschule" bezeichnet worden war, und den auch Rudolf Steiner gekannt hatte. Stichworte waren 1918: einheitlicher Aufbau, Selbstverwaltung, enge Verbindung der Zweige und Stufen, Aufhebung der Klassengegensätze in der Schule. Der neue Schultyp wurde (integrierte) Gesamtschule genannt: Aufhebung der Dreigliedrigkeit und damit der Zuordnung von Schülern zu Schultypen nach Zugehörigkeit zur jeweiligen sozialen Schicht; weitgehende Auflösung der Jahrgangsklassen zugunsten von Kern- und Leistungskursen; größte Individuali-

erreichbar, denn diese befand sich in einem entlegenen Vorort. So rieten sie den Fragenden: „Schickt eure Kinder zur Waldorfschule; sie ist die einzige für euch erreichbare Alternative mit einem der Montessori-Schule vergleichbaren Geist der Freiheit, Beschaulichkeit, Kindgemäßheit und ohne soziale Diskriminierung; außerdem sind diese Schulen auf eine musische Förderung bedacht, die an den anderen Schulen meist zu kurz kommt, vor allem, wenn Mittel gekürzt werden oder politische Intentionen in die Lehrpläne eingreifen." Sie hatten damals keine andere Wahl, als so zu raten. Und sie fügten hinzu: „Vielleicht ist es besser, die Kinder einer Schule mit fragwürdigem Menschenbild anzuvertrauen als einer Schule, die keinerlei Menschenbild besitzt."
Kurze Zeit später erwarteten sie das zweite Kind; aber da sie noch fremd in der Stadt waren, und also keine feste ärztliche Betreuung hatten, fragten sie nun ihrerseits bei den Kollegen an. Diese hatten über die Waldorfgemeinde Kontakt zu einem anthroposophischen Arzt gefunden. Dem Rat folgend, bekam *Sie* das zweite Kind unter anthroposophischer Betreuung. *Sie* war angenehm überrascht, daß es selbstverständlich schien, daß *Er* bei der Geburt dabei sein durfte, was *Er* sich zwei Jahre vorher noch hatte erkämpfen müssen; selbstverständlich war auch, daß das Kind nur in der Nacht von der Mutter getrennt wurde, tagsüber jedoch bei ihr im Zimmer blieb. Die ganze Atmosphäre war menschenfreundlich und persönlich, ganz anders als *Sie* es bei der ersten Geburt in einem Regelkrankenhaus erlebt hatte. Heute mag solches auch in vielen anderen Einrichtungen durchaus üblich sein, und es wurde auch damals bereits vielfach diskutiert; aber die Regel ist es deshalb auch heute noch nicht.
Als sie dann nach einem Kindergarten suchten, weil sie meinten, Kinder müßten auch in einer großen Stadt Kinder um sich haben, blieb ihnen nichts anderes übrig, als eine eigene offene Kindergruppe zu gründen. Aber der folgende Kampf um Räumlichkei-

sierung durch breitestmögliche Differenzierung des Unterrichtsangebotes. Unter den öffentlichen bzw. Regelschulen kommt die Gesamtschule den Waldorfschulen am nächsten, weshalb auch zwischen diesen Typen die größte Schülerwanderung zu verzeichnen ist.

ten, finanzielle Zuwendungen der Stadt, Auflagen der Ämter usw. nahm den Eltern so viel ihrer erzieherischen Energien, daß unmerklich doch die Kinder zu Objekten des Handelns und Denkens wurden. Aber dazu waren ihnen die eigenen Kinder doch zu wichtig und kostbar; eine wirklich für Kinder geöffnete Welt sollte ihnen jetzt gehören und nicht erst am Ende langwieriger Auseinandersetzungen, wenn sie gerade aus dem Alter sind, in den Genuß des Gewonnenen zu kommen. Da kam ihnen die Mitteilung gerade recht, daß in ihrer Nähe ein Waldorfkindergarten gegründet würde, der noch nach engagierten Eltern suchte. Gleichzeitig hatte sich die Ehefrau des Kollegen inzwischen derart mit der Waldorfpädagogik verbunden, daß sie sich entschloß, die Ausbildung als Waldorflehrerin zu beginnen; ihre Tochter wohnte nun für längere Zeit bei der jungen Familie und ging von dort zur Waldorfschule.

Eines Tages wurde *Er* von den Eltern des Kindergartens gebeten, in einer dialogischen Veranstaltung die „akademische" Rezeption der Waldorfpädagogik darzustellen, worauf dann ein Waldorflehrer, dessen Kinder ebenfalls in dem Kindergarten waren, antworten würde. Anlaß waren damals skeptische Fragen der Eltern, die aus unterschiedlicher Motivation heraus ihre Kinder dem Waldorf-Kindergarten anvertraut hatten, denen jedoch im Laufe der Zeit immer wieder Zweifel an der Richtigkeit dieses Schrittes gekommen waren. Die einen wurden das Gefühl nicht los, daß die Pädagogik weltfremd oder doch den gegenwärtigen Bedürfnissen unserer Gesellschaft nicht angemessen sei; andere befürchteten, daß sie sich ihren Kindern und diese sich den Eltern entfremden, wenn die Eltern nicht bereit sind, alles „nachzubeten", was den Kindern zuteil wird; wieder andere waren unsicher geworden angesichts der eigenen Theorie von „freiheitlicher Pädagogik" und der Bedeutung von Vorbild und Autorität, wie sie durch die Kindergärtnerinnen praktiziert wurden; andere schließlich hatten eine unbestimmte Angst vor der „anthroposophischen Ideologie". Sie alle wollten sich mit den Antworten der Rudolf Steiner verpflichteten Erzieher nicht begnügen, weil sie der sogenannten objektiven Wissenschaft eben mehr vertrauten als der „weltanschau-

lich gebundenen". Dahinter verbirgt sich ein berechtigtes Interesse an Verständnis und Verständigung mit der Waldorfpädagogik und ein wachsendes Bemühen, bei aller Bereitschaft zum Wagnis doch nicht die Kinder aufs Spiel zu setzen und wenigstens die schlimmsten Fehler zu vermeiden; jede Schulwahl ist ein Wagnis, ein Schritt in die Ungewißheit und ein Vertrauensvorschuß, zugleich aber auch ein großes Bündel Hoffnung. Die Skepsis der Eltern beinhaltet aber auch manch Vor-Urteil und manch Vor-Verständnis sowohl bezüglich der Waldorf-Pädagogik, welcher kein objektives Verhältnis zu sich selbst zugemutet wird, als auch bezüglich der Fähigkeiten der „anderen" oder „öffentlichen" Pädagogik bzw. der Erziehungswissenschaft, von der ein vorurteilsfreies Urteilen erwartet wird.
Er war sich durchaus darüber im klaren, daß ein Außenseiter, auch wenn er Erziehungswissenschaftler ist, ein derart komplexes und weltanschaulich durchtränktes Gebäude wie die anthroposophisch orientierte Erziehung im Rahmen eines Vortrages weder vom Keller bis zum Dachgeschoß durchschreiten noch die Statik des Gebäudes nachrechnen, geschweige denn das Gebäude, wenn er es wollte, zum Einsturz bringen könnte; und *Er* identifizierte sich ja in gewisser Weise durchaus mit dieser Pädagogik, sonst hätte *Er* sich mit seiner Frau wohl nicht entschlossen, die eigenen Kinder dorthin zu schicken. Ein Außenseiter, der *Er* jedoch trotzdem war, vermöchte wohl einzig und allein seine Sichtweise in ihrer vorläufigen, unabgegoltenen und im Grunde fremden Form zu äußern. Er kommentiert gewissermaßen einen Text, den er weder selbst geschrieben noch im Sinne des Verfassers verstanden hat (weil er ja anders denkt, anders fühlt und in anderem Geiste wurzelt), von dem er aber trotzdem glaubt, daß dieser Text des Kommentierens wert ist, und daß er ihn zwar in einem anderen Sinne, trotzdem aber sogar vielleicht besser versteht, als der Verfasser des Textes diesen selbst verstanden hat. Das jedenfalls entsprach dem „hermeneutischen Verfahren", wie *Er* es gelernt hatte.
Als ihre Kinder in die Schule kamen, interessierten sie sich mehr für die dortige Pädagogik, als es für die Eltern solcher Schulen üblich ist; zwar versuchten die Lehrer durch intensive Elternarbeit

den Geist anthroposophischer Erziehung auch in die Familien hineinzuversenken; aber das reichte *Ihr* nicht aus. Außerdem wollte *Sie* verstehen, was hinter einigen „unangenehmen" Erscheinungen versteckt sein könnte: Z.B. sah sich jene Familie, der sie doch den Rat gegeben hatten, die Kinder der Waldorfschule anzuvertrauen, eines Tages gezwungen, auf eine andere Waldorfschule zu wechseln, weil – wie es hieß – der älteste Junge es „gewagt hatte, vor dem 14. Lebensjahr Lehrer zu kritisieren", und dabei sogar von den Eltern bestärkt worden war; die Kritik war berechtigt, galt aber trotzdem als unangemessen. Eines Tages wurde ein Mitschüler vor der Klasse wegen seiner „unpassenden" Bekleidung (aus Synthetikstoffen) heftig gerügt. An einem anderen Tag meldete sich die Lehrerin telefonisch mit dem Vorwurf, der Sohn würde zu viel fernsehen, obwohl es in der Familie keinen Fernsehapparat gab; er hatte mit „wilder Phantasie" aufregendste Filmszenen erzählt, weil er hinter den Filmgeschichten seiner Mitschüler nicht zurückstehen wollte. Bei Geburtstagsfeiern beharrten gerade jene Kinder, die aus einem „biologisch-dynamischen Haushalt" kamen, darauf, „Ketchup" für die so geliebten Spaghetti und dazu Coca-Cola zu bekommen. Plötzlich war die Tochter voller Nachtängste und weigerte sich, zur Schule zu gehen; die Nachfrage ergab, daß der Lehrer wortgewaltig und sehr laut „cholerische Kinder" zurechtgewiesen hatte, ohne zu merken, daß er damit das Gemüt dieses Mädchens tief verletzt hatte. Die Eltern waren sich darüber im klaren, daß es keine Schule ohne Probleme geben kann; trotzdem interessierte *Sie* die Frage, ob dahinter vielleicht auch etwas „Systemimmanentes" verborgen liegen könnte.

Im übrigen nahmen beide intensiv am Schulleben teil, intensiver und bewußter vielleicht sogar als andere. Sie schickten ihre Tochter z.B. in den „freien christlichen Religionsunterricht", obwohl sie ja bewußte katholische Christen waren. Aber sie meinten, es gäbe vielleicht nicht nur ein „Entweder-Oder" zwischen kirchlichem Leben und anthroposophischem Schulleben, sondern auch die Chance eines „Sowohl-als-Auch", sowohl volles Schulleben als auch kirchliche Gemeinde. Immer intensiver fragten sie sich, ob sie möglicherweise zu „naiv" der vorgeblichen Offenheit der

Schule verfielen, oder ob sie noch mehr Verantwortung bei der Gestaltung des Schullebens übernehmen müßten, damit Verletzungen und Brüche ausblieben. So begann *Sie* also nebenberuflich eine mehrjährige Ausbildung zur Waldorflehrerin[10]; *Sie* las viele Schriften Rudofl Steiners und anderer Theoretiker der Waldorferziehung. *Sie* war inzwischen Lehrerin an einer Gesamtschule geworden und gewann den Eindruck, daß die öffentliche Gesamtschule viel von der Waldorfschule als privater Gesamtschule lernen könnte. Aber wäre das nicht ebenfalls umgekehrt nützlich und hilfreich?[11] Deshalb vollzog *Sie* den von vielen erwarteten Schritt nicht, als Lehrerin an die Waldorfschule zu wechseln. Darf man sich als engagierte Lehrerin den Kindern entziehen, die bereits Vertrauen gewonnen haben? Sind Frustrationen ein hinreichender Grund für einen Wechsel des Schulsystems?
Später berichtete *Sie* von den wichtigsten Lernerfahrungen aus dieser Zeit, und welchen Stellenwert diese in ihrem Leben gewonnen haben. Da ist zunächst das „Anders-Denken" in pädagogischen Angelegenheiten. Oft gibt es im schulischen Alltag an privaten Schulen genauso wie an Regelschulen einen gewissen Konformitätsdruck, dem sich eigentlich nur entziehen kann, wer über eine begründete und in sich stimmige Alternative des Handelns verfügt, damit der Verweigerung ein wirklicher Ersatz folgen kann. Anders Denken heißt auch, bereit zu sein, das Gefordert-Übliche vor dem Hintergrund des individuell Notwendigen zu prüfen. In der Waldorfpädagogik zwingt die ständige Reflexion über das Anthroposophisch-Menschenkundliche zu jener Distanz, aus der

[10] Die Waldorflehrer-Ausbildung gibt es z. Zt. grundständig (in 3 Jahren) und als Zusatzausbildung oftmals in Abend- und Wochenendkursen. Kerninhalte der Lehrerbildung ergeben sich aus der „Menschenkunde Rudolf Steiners", also aus der Anthroposophie und der „Dreigliederung des menschlichen Organismus" (Denken, Fühlen, Wollen). Sie sind dreifach aufgebaut: Menschenkunde, methodisches Lernen, künstlerisches Üben. Zur Einstellung als Waldorflehrer sind jedoch Ausbildungsresultate nicht entscheidend, sondern vielfach auch weniger nachprüfbare Kriterien.

[11] Dazu lagen bereits einige interessante Antworten vor, z. B. von der Freien pädagogischen Vereinigung Bern (Hg.), Waldorfpädagogik in öffentlichen Schulen. Versuche und Erfahrungen mit der Pädagogik Rudolf Steiners, Freiburg / Br. 1976.

kreative Kräfte freigesetzt werden. Ein Zweites nahm *Sie* aus der Waldorf-Fortbildung mit, nämlich Gelassenheit, die Fähigkeit, sich nicht imponieren zu lassen von Richtlinien, Lehrplänen, Dienstverpflichtungen und Vorgesetzten. Beide Charismen sind sicher nichts Waldörfliches, aber – so meinte *Sie* – die Kombination einer gediegenen und nie enden wollenden wissenschaftlich-akademischen Lehrerbildung mit besinnlich-versponnener „Erziehungskunst"[12] wäre etwas Heilsames.

Als eines Tages bekannt wurde, daß in der Schule ein Lehrer für den kath. Religionsunterricht in der Oberstufe fehlte, besann *Er* sich seiner theologischen Ausbildung und übernahm einen mehrstündigen Lehrauftrag, den er über acht Jahre ausfüllte; dafür trat *Er* in regen Gedankenaustausch mit den anderen „konfessionellen" Religionslehrern. *Er* beteiligte sich an den verschiedenen Konferenzen der Schule, übernahm auf Bitten der SchülerInnen tragende Aufgaben beim "Abschluß der 12. Klasse" und in den Abiturklassen. Mit großem Interesse verfolgte *Er*, wie aus den Kindern Erwachsene wurden; oftmals war *Er* der „Vertraute" seiner SchülerInnen und wurde so zum Mitwisser jener Nöte und geheim gebliebenen Freuden, die sich anders äußern konnten. Als die Gruppen immer inhomogener wurden, also nicht „nur" katholische Schüler, sondern auch nicht-konfessionelle und aus anderen Bekenntnissen an seinem Unterricht teilnahmen, entstand so etwas wie eine ökumenische Zelle, von der *Er* jedoch nicht erfahren konnte, wie dieses in der Schulgemeinde aufgenommen wurde. Daß es bekannt war, erfuhr *Er* spätestens, als *Er* gebeten wurde, die Beerdigung einer in den Ferien verunglückten Schülerin durch Besinnung, Predigt und Gebet zu begleiten. Kann es in einer weltanschaulich gebundenen Schule so etwas geben wie einen christlichen Sauerteig? Gibt es, so versuchte *Er* auch mit sei-

[12] Die Pädagogen nach 1918 vertrauten sehr auf einen Abschied von der Lehrerbildung in Präparandien oder Lehrerbildungsanstalten; sie setzten ihre Hoffnungen und die der jungen Demokratie auf die erziehungswissenschaftlichen Fakultäten an den Universitäten. Diese Akademisierung machte Rudolf Steiner für die Waldorfpädagogik nicht mit, sondern setzte der Wissenschaftlichkeit dezidiert die „Kunst" entgegen. Vgl. Steiner, Rudolf, Erziehungskunst. Seminarbesprechungen und Lehrplanvorträge, Stuttgart 1919 (GA 295).

ner Frau zu klären, eine Entfaltungsmöglichkeit als dezidierter Christ in dieser Schule, z.B. auch als Waldorflehrer?

Nach acht Schuljahren erklärten ihnen ihre Kinder, daß sie nicht länger auf der Waldorfschule bleiben möchten. Die Eltern waren schockiert. Hatten sie nicht versucht, ihren Kindern die „beste Alternative" von Schule zu bieten? Hatte ihre eigene unaufhörliche Nachdenklichkeit sich auf die Kinder dergestalt übertragen, daß diese den „ Schlußstrich" meinten ziehen zu müssen? Sollten sie ihre Kinder nun am Schulwechsel hindern, wie es einige Waldorflehrer von ihnen verlangten? Sie entschlossen sich, mit den Kindern zwar zu ringen, aber beim Beharren auf dem Entschluß, mit allen verfügbaren Kräften den künftigen Weg zu stützen. Sie erklärten den Kindern die ungeheuren Schwierigkeiten, die sie außerhalb der Waldorfschule erwarten würden: Daß fast jeder Wechsel eine Verlängerung der Schulzeit nach sich zöge, daß „Leistung" draußen etwas ganz anderes sei als im behüteten Waldorfleben, und was es sei; vor allem sei aber die Denk- und Lernweise an der Waldorfschule stets „vom Ganzen zum Detail" verlaufend, während an den Regelschulen immer von den Teilen ausgegangen werden, so daß manchmal ein Ganzes überhaupt nicht ins Blickfeld gerate usw. Aber die Kinder hatten ihre eigenen Gründe: Sie wollten „endlich einmal gefordert werden" und vor allem „wissen, wie dumm oder klug sie seien". Irgendwann hatte einmal jemand gesagt, ob sie „das denn nötig hätten, auf einer solchen Sonderschule zu sein". Und die Zeugnisse enthielten ja keine „wirklich klaren Informationen zur Leistungsfähigkeit". Aber sie hatten auch andere Gründe: Sie wollten z.B. andere Sprachen lernen, als sie an der Waldorfschule angeboten wurden; sie wollten sich mit jenen technischen Fragen befassen, die dort (noch) nicht vorgekommen waren; sie wollten Freunde und Bekannte haben außerhalb des vom Geist der Schule bestimmten Menschenkreises.

Es ist hier nicht der Ort, darüber zu berichten, wie es ihnen nach dem Schulwechsel ergangen ist. Aber der Abbruch jeglicher Brücken zu ihnen durch die Schule war schon sehr befremdlich; hätten die Kinder nicht ihrerseits versucht, die zurückgelassenen Freunde zu halten, sie hätten ein „Paria-Gefühl" entwickeln müssen. Was ist „Heimat“ in geistigen Dingen? Warum liegen auch im Pädagogischen das Faszinierende und das Abstoßend-Erschütternde (fascinosum und tremendum) so nahe beieinander? Vielleicht können noch einige Einzelheiten aus dem Leben der Waldorffamilie behilflich sein, diesen Fragen eine Anschauung zu geben.

Eines Tages blätterten sie in den Unterlagen, die sich aus der Kindergarten- und Schulzeit ihrer Kinder bei ihnen angesammelt hatten. Dort fanden sie z. B. die „Kindergartenordnung“ und lasen, was sie damals weder aufmerksam genug gelesen noch verstanden hatten: „Der Waldorfkindergarten ist bestrebt, Kinder aller sozialen Schichten im Alter von drei bis sieben Jahren in altersgemischten Gruppen zu vereinen und zu einer allseitigen Entwicklung der körperlichen, seelischen und geistigen Kräfte zu führen. Er ist ein eigenständiger Bestandteil der Rudolf-Steiner-Schule, in der die Schüler vom Kindergarten bis zum neunzehnten Lebensjahr im Sinne der Waldorfpädagogik erzogen und gebildet werden. Grundlage der Erziehungs- und Bildungsarbeit sowohl im Waldorfkindergarten als auch in der Rudolf-Steiner-Schule ist die Menschenkunde und Pädagogik Rudolf Steiners.“ Wieso hatten sie die Aussage zur „Allseitigkeit“, die ihnen sozialistisch vertraut geklungen hatte, ebensowenig hinterfragt wie die Dreiteilung von Körper, Seele und Geist, von der doch überall ohne viel Nachdenklichkeit die Rede war? „Führung“ sollte geschehen, und zwar in „Erziehungs- und Bildungsarbeit“; aber war das nicht alles dasselbe? Wieso waren sie nicht spätestens bei der Bindung des Konzeptes an die „Menschenkunde und Pädagogik“ Rudolf Steiners aufmerksam geworden, da doch mit Menschenkunde nur die Anthroposophie gemeint sein konnte? Aber bereits bei der ersten Nachfrage hatte man ihnen klar gesagt, dort gäbe es keine weltanschaulich an die Anthroposophie gebundene Erziehung und vor allem keine Erziehung *zur* Anthroposophie; damit hatten sie sich zufriedengegeben. Und dann hatte da noch gestanden in der Kindergartenordnung, die Leitung und Verwaltung läge beim Erzieher-Kollegium, ein Sprecher der Erzieher übernehme die „Vertretung“; aber eine weitere Überschrift sprach

von „Mitarbeit und Mitverantwortung der Eltern". Wieso hatten sie „überlesen", daß „die pädagogischen Bemühungen in der Familie und im Kindergarten einander *entsprechen* müßten, was doch nur heißen konnte, daß auch sie die „Menschenkunde Rudolf Steiners" akzeptieren müßten? Wieso bestand „Mitarbeit und Mitwirkung" eigentlich nur in dieser Akzeptanz, ergänzt um praktische Mitwirkung und um Bereitschaft zur Teilnahme an „Bildungsmöglichkeiten" für die Eltern? Und dann standen da noch Sätze wie: „Der Vorstand kann Kinder, *deren Eltern keinen Willen zur pädagogischen Zusammenarbeit erkennen lassen*, auf Vorschlag des Erzieherkollegiums und nach Anhörung des Kindergartenrats vom Besuch des Kindergartens ausschließen"; damit erklärte sich nachträglich, wieso eines Tages zwei Kinder plötzlich nicht mehr kamen, was zu Fragen der eigenen Kinder führte, die sie ihnen nicht beantworten konnten. Als sie die Aufnahmebestätigung ihrer Kinder in den Kindergarten erhielten, stand da in dem Schreiben: „Wir bitten Sie herzlich ..., sich um ein Verständnis der menschenkundlichen Grundlagen zu bemühen"; aber sie überlasen diese Verpflichtung zur Anthroposophie und unterschrieben.
Dann enthalten ihre Akten die vielen Telefonlisten aus Kindergarten und Schule, mit denen die Eltern sich „vernetzt" hatten, die Erklärungen zur Durchführung der Beitragsgestaltung für das „Schulgeld", das eine finanzielle Selbsteinschätzung voraussetzte, und die vielen Einladungen, Protokolle, Spendenquittungen und z. B. „Basar-Aufforderungen", mit denen in der Vorweihnachtszeit sowohl die Finanzen aufgefüllt als auch ein stimmungsvolles Fest gestaltet werden sollen. Das Geld spielt eine große Rolle in den Akten: die Musikförderung, zwei Erweiterungs- und Neubauten, Bürgschaften, Leihgemeinschaften u. a. Und schließlich findet sich auch die „Schulordnung". Darin sind u. a. Aussagen zu „Zeugnissen und Schulabschluß" enthalten: „Alle Schüler erhalten am Ende eines jeden Schuljahres ein Zeugnis, das die Erziehungsberechtigten über den Entwicklungs- und Leistungsstand ihrer Kinder in charakterisierender Form unterrichtet. Das Zeugnis enthält keine Benotung." Diese Zeugnisse sollten wohl kurz erläutert werden.

Sie beginnen oder enden immer mit einem sogenannten Zeugnisspruch, „der für die Individualität des Kindes richtunggebend sein kann“ (Steiner, 26.5.1921). Diese Sprüche werden von den Kindern vor der Klasse während des ganzen kommenden Jahres vorgetragen, z.B. jedes Kind an dem Wochentag, an dem es geboren ist, wobei am Montagmorgen die Sonntagskinder die Woche eröffnen. Daß Lehrer und Schüler plötzlich ihr Augenmerk auf hineingedeutete „Schicksalsübereinstimmungen“ an bestimmten Wochentagen richteten, war durchaus beabsichtigt.[13] Diese Sprüche sind Widerspiegelungen sanfter oder auch brachialer „intentionaler Pädagogik“. Ein Beispiel: „Wächst im Wald ein Tännlein, / klein und winzig noch. / Ringsumher die Tannen / sind schon ernst und hoch ...“ Hier wird ein Kind aufgefordert, aus sich herauszugehen und Orientierung an den anderen Kindern zu nehmen. Oder mit Goethe: „Nichts wird rechts und links mich kränken, / folg ich kühn dem raschen Flug; / wollte jemand anders denken, / ist der Weg ja breit genug“, worin sich Zielstrebigkeit und Selbstbewußtsein äußern. Mit diesen Sprüchen macht sich der Lehrer ein Bild von seinen Schülern jährlich ein Mal in mühsamer Besinnung. Den Zeugnissprüchen folgen ausführliche Schilderungen des charakteristischen Weges dieses Schülers durch das Jahr innerhalb des allmorgendlichen Hauptunterrichts (Epochenunterricht) und im Fachunterricht. Beispiele sind unangemessen, da sie zu viel Persönliches widerspiegeln. – Aber in ihren Akten fanden sie auch Briefe. Z.B.: „Leider muß ich Ihnen in den Ferien etwas Arbeit aufhalsen, aber es geht nicht anders. Ihr Sohn hat während der Erdkundeepoche so geschlampt, daß es nicht zu verantworten ist. Ich bitte Sie deshalb herzlich, mit ihm ein Heft zu gestalten, das von vorne bis hinten wohlgeformt, übersichtlich und farblich schön ist. Ich schicke Ihnen als Orientierungshilfe ein Heft, das klar und sauber geführt ist.“ Sicher ist das kein typischer Brief, aber im Duktus doch aussagestark, indem das „geschlampt“ sich gegen das „wohlgeformt“ und “farblich schön“ abhebt; geht hier Ästhetik vor Akzeptation?

[13] Vgl. Müller, Heinz, Von der heilenden Kraft des Wortes und der Rhythmen. Die Zeugnissprüche in der Erziehungskunst Rudolf Steiners, Stuttgart 1967, 17.

In der Schulordnung steht auch etwas zum Schulabschluß: „Mit der Anfertigung einer Jahresarbeit während des 12. Schuljahres und einer anschließenden schuleigenen Abschlußprüfung endet der 12jährige Bildungsgang nach dem Lehrplan der Schule. Die Schüler erhalten ein ausführliches Abschlußzeugnis, das über Bildungsgang, Leistung und Prüfungsergebnis Auskunft gibt. Es enthält eine Charakteristik des Schülers." *Er* hatte ja solche Arbeiten betreut und an den genannten Prüfungen teilgenommen.[14] Da ist die Breite der Themen: „Die Kunst des Schauspiels und der Regie"; „Therapeutisches Reiten"; „Die Charakterisierung des Menschen aus seinen Händen"; „Der Tod in der Dichtung"; „Bau einer elektrischen Uhr" u.a. Welch eine Spannbreite und wieviel hervorschießende Individualität? *Er* hat versucht, die Gutachten im Sprachklang der Schule zu verfassen, Gelingen und Mißlingen nicht zu verschweigen, aber es nicht wertend, sondern beschreibend und charakterisierend zu benennen. Einige Ausschnitte mögen dies verdeutlichen: „Die Arbeit ist durchdrungen von der Auseinandersetzung mit dichterischen, sprachlichen Kunstwerken; hier wurde allerdings weniger direkt gehandelt, abgesehen von den eingestreuten Skizzen, als reflektiert und entgegengenommen. Der Verfasserin fehlt wohl der Mut, eigene Betroffenheit zu thematisieren." Oder: „Mit Selbstdisziplin und Einsicht in die Notwendigkeiten könnte die Verfasserin auch später anschauliche Aufgaben in vorbestimmten Grenzen lösen. Sie ist zu kurzfristigen Kraftanstrengungen in der Lage, wenn sie mit Strenge geführt wird und zugleich Entmutigungen von ihr ferngehalten werden."
Was könnte der Eindruck sein, den der hier ermöglichte Einblick in den Alltag einer „Waldorffamilie" vermittelt oder vermitteln soll? Da sind zunächst die Motivationen der Eltern, ihre Kinder einer Waldorfeinrichtung anzuvertrauen; da sind die Vorinformationen, die in die Entscheidung letztlich einmünden und allzuoft aus den Anleihen der Waldorfpädagogik bei anderen Pädagogiken

[14] Die Abschlußprüfung der 12. Klasse ist der Abschluß der Waldorfschul-Zeit. Ihr folgte eine Abiturvorbereitungs-Klasse für die Abitur-Bewerber. Bei Schulabgang wurden die Zeugnisergebnisse auch in ein Notenzeugnis umgewandelt, damit Bewerbungen auf dem Arbeitsmarkt möglich wurden.

resultieren, deren Ernsthaftigkeit für sie nicht überprüfbar ist; da ist das liebevolle Engagement, das Eltern in die Schule einbringen, ohne daß ihnen wirklich Einfluß zugestanden wird, weil der „Überbau" nicht hinterfragt werden darf; da ist aber auch das Glücksgefühl, das sich bei Eltern einstellt, wenn sie in einer heimatlos erscheinenden Welt so etwas wie Geborgenheit vermittelt bekommen – mag dieses Gefühl noch so diffus und „künstlich" sein. Bei heutigen Eltern mag der Weg zur Kindergarten- und Schulentscheidung für ihre Kinder gänzlich andere Wege gehen als in der hier angeführten Familie; trotzdem könnte sie anregen, sich selbst die Frage genauer zu beantworten, warum meine Entscheidungen so und nicht anders fallen. Sich für die Waldorfschule zu entscheiden, weil andere Schulen (vielleicht aus Mangel an Information) „schlechter" erscheinen, ist das schwächste aller möglichen Argumente, wenn der Maßstab für „gut" oder „schlecht" nicht reflektiert und begründet ist. Es wäre den Lesern und Leseinnen dieses Buches nicht zu wünschen, daß sie erst am Ende eines Weges diesen als Experiment begreifen müssen; denn mit Kindern sollte nicht experimentiert werden, es sei denn, wir verstehen miteinander das Leben selbst als ein Wagnis, als unvorhersehbar, als Prozeß. Das aber entscheidet sich erst in der Verantwortung, in der Bereitschaft von Eltern, stets, überall und unverbrüchlich zu ihren Kindern und nicht unbedingt „zur Schule und ihrer Weltanschauung" zu stehen.
Wie die „Lebensbilanzarbeit" heutiger Waldorfeltern eines Tages ausfallen wird, müßte in ca. 20 Jahren aufgeschrieben werden. Heutige Eltern kommen, wenn sie ebenso reflektiert an ihre „verantwortete Elternschaft" herangehen, wohl eher aus dem Geist der Ablehnung jenes Rationalen, das zu den Bedingungen von Umweltzerstörung, Ozonloch und dergleichen gehört; vielleicht sind sie aber auch mit dem neuen Nationalismus und dem Sozialabbau beschäftigt oder mit „Esoterik" aller Art. Den Zeitläuften ist es ja progredient gelungen, dem christlichen Fragen die Kirchlichkeit zu nehmen. Vielleicht trifft die anthroposophische Erziehung hier auf einen besser vorbereiteten, weil noch mehr Ruinen des Geistes als selbstverständlich hinnehmenden Nährboden und also

auf weniger Widerstand. Germanische Heldensagen und Deutschtümelei, geistiger Schulungsweg des Ich und Selbstverwirklichung auf dem Ego- oder Psycho-Trip – solche Nähe scheint größer geworden. Aber gerade deshalb ist der Blick jener Eltern aus den 60er Jahren vielleicht doch ein Anlaß zur Nachdenklichkeit bei den Gleichaltrigen, die heute vielleicht Waldorflehrer sind, wie bei den Jüngeren.

II. Kapitel: Anthropoposophische Erziehung im Selbstbild

1. Zum anthroposophischen Menschenbild und zur anthroposophischen Paidologie

Ich bin kein Anthroposoph; und doch möchte ich mich hier der Aufgabe stellen, dem Selbstbild der anthroposophischen Erziehung und also auch der anthroposophischen Weltanschauung als Grundlage gerecht zu werden. Es stellt sich jedoch zunächst die Frage, ob man denn Anthroposoph sein müßte, um sich damit beschäftigen zu dürfen oder zu können. Über die Anthroposophische Gesellschaft, den überregionalen und überstaatlichen Zusammenschluß der im Sinne der Menschenkunde Rudolf Steiners suchenden Menschen mit Sitz in Dornach, Schweiz, heißt es z.B. in ihren „Prinzipien", sie sei keine „Geheimgesellschaft, sondern eine durchaus öffentliche"; sie „lehnt jedes sektiererische Bestreben ab". Aber sie bestreitet „von vornherein dem Urteil... die Berechtigung, das nicht auf die Schulung gestützt ist, aus der es hervorgegangen" ist; bezüglich ihrer Schriften wird von der Gesellschaft „niemand ein kompetentes Urteil zugestanden, der nicht die von dieser Schule geltend gemachte Vor-Erkenntnis... erworben hat; andere Beurteilungen werden insofern abgelehnt"; obwohl der Mensch als ein Suchender verstanden wird, muß er als Anthroposoph „Repräsentant der anthroposophischen Sache vor der Welt" sein. Sind da nicht innere Widersprüche zu erkennen?

T.S. Eliot hat einmal deutlich gemacht, daß es nicht nötig sei, ein Kannibale zu werden, um Kannibalen verstehen und beurteilen zu können, daß es im Gegenteil sogar hinderlich sein kann, da die für ein Verstehen nötige Distanz verlorengeht. Gleiches gilt auch hier (ohne daß damit Waldorflehrer und Anthroposophen gleich zu Kannibalen gestempelt werden): Waldorfpädagogik ist zwar eine reife Frucht der anthroposophischen Geisteswissenschaft und der sogenannten Dreigliederungslehre Rudolf Steiners, aber das bedeutet nicht notwendigerweise z. B., daß man Anthroposoph sein muß, um Waldorflehrer[1], erst recht nicht um Eltern von waldorfpädagogisch betreuten Kindern, oder um am Verständnis der Waldorfpädagogik bemüht sein zu können. Zumindest gilt dies für den eigenen Anspruch.

Aus diesem Grunde werde ich im folgenden von der Anthroposophie insoweit sprechen, als das dort entwickelte Menschenbild in die Erziehungsphilosophie einmündet.[2] Es ist sicher kaum möglich, dem gesamten Spektrum anthroposophischer Erziehungslehre umfassend gerecht zu werden, da sie zu aspektereich, die Quellen zu zahlreich, die Erscheinungsbilder zu vielfältig und die theoretischen wie sprachlichen Konstrukte zu unspezifisch und zu wenig mit dem alltäglichen Sprachgefüge erfaßbar sind.

Deshalb möchte ich mich nur auf einige Aspekte beziehen, die allerdings das Zentrum der Erziehungslehre bestimmen; z. B. auf den *Entwicklungsgedanken*, die Kennzeichnung des „Resultates" des Erziehungsprozesses, das *menschliche Ich*, und das *Erkenntnisprinzip*, das dem Menschenbild zugrunde liegt.

Die Freiheit des Menschen, das frei in der Welt und ihr gegenübertretende Wesen, ergibt sich nach waldorfpädagogischem Verständnis in dem Maße, wie „im Menschen die verschiedenen Anlagen und Fähigkeiten zu individueller Entwicklung kommen". Die Unterrichtspraxis soll den Bedingungen einer menschlichen Entwicklung folgen. Es geht darum, im Unterricht „den werdenden Menschen aus seiner Natur heraus" und jene Gesetze zu berücksichtigen, „durch die seine Wesensart sich zum wahren Menschen entwickeln kann"[3].

[1] Vgl. Lindenberg, 164

[2] Ich bin tatsächlich heute der Ansicht, daß die Realität des erzieherischen (und schulischen) Alltags dem Anspruch nur noch in glücklichen Ausnahmefällen entspricht. Zu häufig benötigen didaktisch und erziehungswissenschaftlich „behinderte" Pädagogen in den Waldorfschulen die Anthroposophie nicht als „Erkenntnis", sondern als Krücke, ohne die sie den Alltag kaum bestehen würden. Solche Krückenfunktion wird leider auch andernorts dem „weltanschaulichen Überbau" zugemutet.

[3] Vgl. Kranich, Ernst M., Waldorfschule. In der Praxis mehr am Menschen orientiert, in: Neue Deutsche Schule 39, 1987, 15/16, 14–15.

Es handelt sich also nicht um eine Erziehung *der* menschlichen Persönlichkeit, sondern um eine Erziehung *zum* wahren Menschen; das steht fast schon im Widerspruch zum Erziehungsdenken der Väter unseres Grundgesetzes, wo von der freien Entfaltung *seiner Persönlichkeit* gesprochen wird, bewußt im Gegensatz zum Ziel der marxistischen Erziehung, zur „sozialistischen, allseits gebildeten Persönlichkeit“ und zum nationalsozialistischen Herrenmenschentum. Wenn denn schon von Entwicklung die Rede ist, dann sollte es nur im Sinne einer Entwicklung der Persönlichkeit in Würde und Freiheit sein, zu welchem Liebe und Verständnis mehr gehören als Entwicklungslehren einer erst noch werdenden Persönlichkeit. Dies betont auch die „Erklärung über die Rechte des Kindes“ der Vollversammlung der Vereinten Nationen; der Unterricht habe demnach nicht im Kinde bestimmte Fähigkeiten zu wecken oder grundzulegen, sondern seine vorhandene „Begabung, sein persönliches Urteil, sein sittliches Empfinden und sein Verantwortungsgefühl zu entwickeln“; das kann doch nur heißen, daß Vorhandenes eine besondere Förderung erhält.

Nun betrachtet die Waldorfpädagogik den entwickelten Menschen als leibliches, geistiges und seelisches Wesen; dessen Leib ist unmittelbar, Seele und Geist sind nur mittelbar durch den Körper erfahrbar; ihre eigene Wesenheit ist nicht direkt erfahrbar. „Hier vollziehen sich aber die Prozesse der Entwicklung – angeregt durch äußere Erfahrung und Betätigung – und hier herrschen die Gesetze dieser Entwicklung.“[4] Entwicklungspsychologie beschreibt nur die zeitliche Folge veränderter seelischer Äußerungen. Die innere Entwicklung und Verwandlung bleibt dagegen weitgehend unbegreifbar. Rudolf Steiner macht mit seiner anthroposophischen Methode Seele und Geist ebenso greifbar wie den Leib. So wird die anthroposophisch erweiterte Entwicklungspsychologie zur Voraussetzung für eine entwicklungsorientierte Pädagogik der Waldorfschulen. Die Anthroposophie dient dazu, daß der Lehrer, soweit er die Anthroposophie für sich erarbeitet hat,

[4] Kranich, Ernst M., 14.

„in den Eigenschaften der Kinder die Anlagen zu vollkommeneren Fähigkeiten und die Wege zu ihnen sehen" kann. Damit ist also die Anthroposophie zum Motor der ganzen Erziehungskunst deklariert worden.

Die menschliche Entwicklung wird keineswegs als ein Kontinuum, sondern als ein Stufenprozeß gesehen. Verkürzt stellt sich die Entwicklung des jungen Menschen so dar: Es gibt drei Geburten des Menschen im jeweiligen Erdenleben. Die erste Geburt bereitet den physischen Leib; die nun folgende Entwicklung in den ersten sieben Lebensjahren betrifft vor allem die Sinnesnerven; Anschauung und Nachahmung herrschen als Erziehungsprinzip vor. Die zweite Geburt gilt dem sogenannten Ätherleib; diese Geburt schafft die Bedingung für einen vorwiegend künstlerischen Unterricht mit besonderer Betonung auf der Nachfolge und positiver Autorität bis zum 14. Lebensjahr. Die dritte Geburt entfaltet den Astralleib; nun (erst) erwachen Verstand, Persönlichkeitsgefühl, Selbständigkeitsdrang; diese Zeit mündet in die Herausbildung des „Ich" (um das 21. Lebensjahr), für das dann der anthroposophische Schulungsweg offensteht. Eine jeweils neue Stufe beschreitet das Kind also im siebten und im 14. / 15. Lebensjahr. Im siebten Lebensjahr wird das Kind fähig, „willkürlich innere Bilder zu gestalten"; deshalb der bildhafte Unterricht, wobei Bild als „Wesenhaftes im Medium des Anschaulichen" verstanden wird. Nun werden Bilder, Fabeln, Mythen zu ungestörtem Eigenleben in die kindliche Seele versenkt; Fühlen, Erfassen und Miterleben der sogenannten Bildegesetze in der Natur entstehen. Die Kinder sollen nicht die Gesetze verstehen, nicht die Sagen und Geschichten erfassen oder durchschauen; die Bilder und Fabeln belehren nicht, sie „wirken vielmehr erweckend auf die Anlagen moralischer Fähigkeiten". Wohlgemerkt, das alles ist erst nach dem gewissen Sprung um das siebte Lebensjahr möglich – mit allen Folgen, die eine solch starre Lehre für den pädagogischen Alltag haben kann.

Im 14. / 15. Lebensjahr, und wohlgemerkt erst dann, kommt nach anthroposophischer Anschauung der junge Mensch „zum inneren Erleben seiner Selbständigkeit." Aus der Bindung an das Anschauliche gelangt das Kind nun zum Begrifflichen. Es „erfährt sich als

Persönlichkeit, die bewußter der Umgebung gegenübersteht, die eigene Stellungnahme sucht und aus eigener Kraft die Welt im Urteil begreifen will." Der Unterricht erhält nun einen zunehmend wissenschaftlichen Charakter. Wiederum, aber aus ganz anderer Richtung geht es nicht um das Lernen von Theorien oder Hypothesen, sondern um Erarbeiten eigener Urteilsfähigkeit. Theorien und Hypothesen werden also nirgends ernsthaft vermittelt, sondern das anthroposophische Kind speist sich aus den in seine Seele abgesenkten Bildern oder aus dem „selbstischen Wollen." Deshalb tun sich Waldorfstudenten an unseren Hochschulen schwer mit Lernen fremder Theorien, Lehren, Hypothesen, aber leicht mit nonkonformen Lösungen oder mit dem Nachbeten esoterischer Schwarmgeistereien. Nunmehr soll in der Waldorfpädagogik neben die analysierende Kraft des Verstandes, die allerdings vorher nirgends eingeübt wurde, die „synthetisierende der Vernunft" treten. Es soll zur Überwindung einer Begrenzung auf das Quantitative und Kausal-Analytische kommen.
Eine Erziehung wie die Waldorfpädagogik, für die die Förderung menschlicher Entwicklung im Vordergrund steht, orientiert sich an Gesetzen, „die in allen Menschen die gleichen sind", sagt Ernst-Michael Kranich. Deshalb werden alle äußerlichen Gesetzmäßigkeiten weitestgehend abgelehnt: Lehrpläne, Stoffverteilungspläne, Prüfungen, Zeugnisse, Sitzenbleiben, hierarchische Schulorganisation usw. Das einzige Gesetz ist die in anthroposophischer Lehre verankerte Entwicklungspsychologie, die jedoch mit dem 21. Lebensjahr, dem dritten Jahrsiebent keineswegs zum Ende gekommen ist, sondern im sogenannten „Schulungsweg" des erwachsenen Menschen einer Exkarnation und Reinkarnation der menschlichen Seele entgegeneilt. Rudolf Steiner hat sich mit dem Endpunkt dieser Entwicklung eingehend befaßt. Er nennt ihn *Ich*. Im Willen Rudolf Steiners, aus dem „lebendigen Menschen" einen „vollendeten Menschen zu machen", will er dem Göttlich-Geistigen zu einer individuellen Menschwerdung verhelfen. Diese Übermenschwerdung des von Steiner so sehr verehrten „Einzigen" Max Stirners geschieht ichhaft in der entwicklungsweise sich vollziehenden Eroberung seiner Freiheit, die ihm nicht von Anbeginn

gegeben ist. Und der Mensch erobert sich wachend, träumend und schlafend. Im Wachzustand vollzieht sich das denkende Erkennen des Menschen, jedoch nur in Bildern. Im Traumzustand ist das Ich fühlend lebendig und schafft sich inspirierte Vorstellungen von einer im Unbewußten schlummernden Welt. Schlafend aber stärkt sich der Wille aus den unbewußten Intuitionen. Der Ich-Leib als der letzte der entwickelten Leiblichkeiten des Menschen neben dem physischen Leib (Geburt), dem Ätherleib (7. Lebensjahr) und dem Astralleib (14. Lebensjahr) ist der Träger des individuellen Bewußtseins, der persönlichen Moralität und der höheren Menschenseele; er durchwebt Wachheit, Traum und Schlaf und veredelt die anderen Leiber bis zu ihrer Vervollkommnung. Erziehung hat die Aufgabe, die Höherentwicklung des Ich zum Geistigen bzw. die dort stattfindende Verschmelzung von Natur und Kosmos zu fördern, eine übersinnliche Wesensschau des Geistigen vorzubereiten, zu welcher sich das Ich aufzuschwingen vermag.
Diese beiden Grundworte des anthroposophischen Erziehungskonzeptes „Entwicklung“ und „Ich“ gilt es im Weiteren noch intensiver zu durchleuchten. Hier sind Erkenntnisse und pädagogische Ansätze verborgen, die Brücken über Schluchten sein können. Zugleich aber taucht die Gefahr der Selbstherrlichkeit auf, die der Liebe widerstreitet. Unwahrhaftig und unredlich tritt jener Pädagoge auf, der seine Schwächen und Fehler weder eingesteht und sehen will noch auch sehen darf, da ihm Schwächen zugleich als Ferne von der Erkenntnisstufe zu den höheren Welten erscheinen müssen bzw. von Kollegen so gewertet werden könnten. Schon gar nicht gegenüber Schülern dürfen bei Waldorf-Lehrern Schwächen und Fehler erkennbar werden, da dann die Persönlichkeit des eingeweihten Geheimschülers im Lehrer und also das „Vorbild“ verlorenginge.
Die Lehrerpersönlichkeit dagegen, die ihre Schwäche, ihre Anfechtungen, ihre Resignation im biblisch-christlichen Sinne als Geschenk der Freiheit begreift, als weisen Kunstgriff eines Gottes, der uns zu sich hin befreit, der könnte dem Kind nicht nur methodische, stufenabhängige Liebe entgegenbringen, sondern auch jene Demut, die ihn zum Diener, nicht zum Herrn seiner Kinder

macht. „Der Geist hilft meiner Schwachheit auf." In der Anthroposophie gibt es keinen Platz für das stellvertretende Leiden, für das „Auf-sich-nehmen-des-Kreuzes", für das Kreuz als Freiheitsakt des Christen; dort gibt es eben nur Entwicklung und das (übersteigerte) „Ich."

Die Anthroposophie hat also das Ärgernis des Kreuzes erkannt und ist ihm erlegen. Deshalb wird das pädagogische Vorbild des strahlenden Meisters seiner Schüler zum Zerrbild eines Pädagogen, der Unterwerfung fordert, indem er Freiheit lehrt. Und also kann die Note „5" für eine unzureichende Leistung liebevoller sein als die beschreibende Note des Waldorflehrers, der in seiner Negativaussage die kindliche Persönlichkeit und Integrität verletzt.

Schwäche, das ist für Waldorfpädagogen ausschließlich etwas, das überwunden werden muß: Die Schwäche des Lehrers wird vertuscht oder an die Unzulänglichkeit der Eltern weitergereicht, die Schwäche des Schülers wird bekämpft und mit ihr der Schüler selbst. Anthroposophie beschränkt sich auf so etwas wie die Hoffnungsgeschichte der Welt und des Einzelmenschen; und wem das Hoffnungspotential ausgegangen ist, dem kann in der Wiedergeburt Tröstung zuteil werden. Das Christentum aber kennt neben der Hoffnungsgeschichte auch die Leidensgeschichte; erst beide ergeben das geschichtlich Wirkliche. So bilden in der Waldorfschule eben nur die Entwicklungsprogramme ein konstitutives Merkmal, nicht jedoch die Kräfte des Trostes, des Verzeihens, der Entscheidung, des Leides und des Dankes für das dauernde Erkanntsein des Menschen durch Gott.

Obwohl es schier unmöglich scheint, den für Anthroposophen hinreichenden Beweis zu erbringen, daß man sich in der Anthroposophie und Waldorfpädagogik auskennt und also als Insider Kritisches zu sagen wagt, möchte ich hier eine Würdigung der Anthroposophie, pauschal und aus subjektiver Sicht anschließen.

Die Anthroposophie ist ein „geistiger Entwurf von hoher Qualität und mit sozialen Initiativen von lauterer Gesinnung". Sie versucht eine stimmige Wechselwirkung von ganzheitlichem Menschenbild und sozialer, pädagogischer und gesundheitlicher Praxis. Sie versucht redlich, den ganzen Menschen in seinen körperlichen, seelischen und geistigen Bereichen zu umfassen und seiner sinnlich-übersinnlichen Wesensgestalt gerecht zu werden. In den Menschen wirken, nach ihrer Vorstellung, die körperlichen, seelischen und geistigen Vorgänge zusammen. Mit aus überlieferten Schriften auswählendem Geschick und synkretistischer Kraft schuf Rudolf Steiner ein geistiges Weltengebäude, das durch Sinnesbeobachtung, verstandesmäßiges Denken und kausal-naturwissenschaftliche Forschung allein nicht zu verstehen ist. Die akademischen Wissenschaften erhielten zu Beginn dieses Jahrhunderts, in dem auch Rudolf Steiner lebte, viele Impulse zur Eingrenzung des allein rational-kausalen Denkens. Hermeneutisches Denken nach Dilthey hat sich beispielsweise ohne die okkult-esoterischen Vermischungen Steiners in einer verstehenswissenschaftlichen Anlage durchgesetzt. Anthroposophie aber versucht einen Erkenntnisweg zu finden, durch welchen dem Denkenden auch die übersinnlichen Welten, die Welten der Geister im Weltall zugänglich werden. Hier hat die akademische Wissenschaft mit größerer Behutsamkeit auch klarere Grenzen gezogen zwischen dem vorläufigen Erkennen des Wissenschaftlers, dem Anerkennen des Glaubenden und des Theologen sowie dem subjektiven Bekennen des Philosophen angesichts der von ihm erfaßten Wahrheit. Das rational-kausale Erkennen wird dem anthroposophischen Weg nie gerecht werden können; allerdings hat die Anthroposophie bislang auch wenig Energie daran verwendet, das eigene Schauen von der Wissenschaft, der Theologie und dem philosophischen Betrachten abzugrenzen. So leistet sie jener Selbstüberschätzung Vorschub, unter welcher gerade jene Pädagogen der Waldorfschulen leiden, denen keine andere geistige Basis für die berufliche Verwirklichung zuteil wurde als die Anthroposophie.

In der Medizin, den Naturwissenschaften, und anderen Disziplinen will die Anthroposophie nicht zu heutigen Wissenschaften in Opposition treten; vielmehr will sie ergänzen und erweitern. Einzig in der Pädagogik meint sie gegebenenfalls auch ohne Fachdidaktik, Entwicklungs- und Lernpsychologie, ohne empirische Pädagogik, Sozialisations- und Kommunikationsforschung und andere Erziehungswissenschaften auskommen zu können; ein fataler (überheblicher und vielleicht sogar teilweise gegenüber dem kindlichen Wesen verachtender) Fehlschuß. Verrat an der komplementären Aufgabe der Anthroposophie für die Pädagogik würde wohl über kurz oder lang die Waldorfschulen zu sektiererischen und traumtänzerischen Kaderschulen für Anthroposophenkinder verkommen lassen.

Das anthroposophische „Wissen“ um die gemeinsame kosmische Menschen- und Weltentwicklung, um den letztlich doch als Ganzheit in Erscheinung tretenden Menschen – allerdings auch das Kind –, das Wissen um die nicht verlorengegangenen Entwicklungsstufen des Weltgebäudes, um die sieben Erdzeitalter, die sich im menschlichen Ich wiederholen, um die drei Welten menschlicher Existenz: Leib, Seele, Geist, um die besonderen Seelenkräfte im Menschen: Empfindungsseele, Verstandesseele, Bewußtseinsseele, um die Dreigliedrigkeit des menschlichen Organismus: Nerven-Sinnes-System, Rhythmisches System, Stoffwechsel-Gliedmaßen-System, all das sollte nicht verlorengehen, sondern als Denkimpuls verfügbar bleiben. Trotzdem aber ist Gefahr im Verzuge, wenn daraus Absolutheitsansprüche, ja sogar Diskriminierungen abgeleitet werden: Diskriminierungen der Andersdenkenden (Waldorfpädagogen pflegen für sich z. B. ein Zerrbild von „Staatsschule“, eine Karikatur, um von eigener Vorläufigkeit abzulenken); Diskriminierung aber auch des kritischen Elternteils oder Schülers, so daß viele Eltern sich nicht mehr trauen, ihre abweichende Meinung zu äußern aus Angst um die eigenen Kinder (vgl. das Kapitel zur „Waldorffamilie im Kontext“).

Aber das muß nicht Originalton der Anthroposophie sein, sondern kann ebenso ein Bild ihrer Entgleisungen sein. Denn Anthroposophie versteht sich als Wissenschaft, verstehbar, denkbar, methodisch; und den Unterschied zur Religion sieht sie darin, daß keine „Rückbesinnung“ stattfindet, sondern der Mensch ganz auf sich gestellt ist. Die Setzung der Selbstgenügsamkeit und der erfahrungswissenschaftlichen Methodik enthält aber auch viel Weltanschauliches; zudem wird alles hergeleitet einerseits aus Erkenntnissen über den Stellenwert des Einzelmenschen in der menschlichen Entwicklung und andererseits aus Schauungen Rudolf Steiners, die keinen Überprüfungsversuch vertragen, sondern lediglich akzeptiert und so auch „verstanden“ werden müssen. Anthroposophie ist insofern eigentlich keine Lehre[5], sondern ein weltanschaulich geprägter Erkenntnisweg, ein Übungsweg des Menschen nach einem meisterlichen Trainingsplan. Das Trainingsziel sind die „neuen Erkenntnisse über den Christus“, auf die wir noch zu sprechen kommen werden, mit deren Hilfe „das Göttliche im Menschen geweckt“ werden soll, damit er mit dem Göttlich-Geistigen im Weltall verbunden werden kann. Mit diesem Vorhaben steht die Anthroposophie in der Tradition der Theosophie; aber darüber muß an anderer Stelle geredet werden.

Der angebliche Zwiespalt zwischen Wissen und Glauben soll behoben werden, damit Wissenschaft fromm und Religion wissenschaftlich wird; ob diese jeweils ein solches Vorhaben wollen, wird nicht hinterfragt; auch nicht, ob damit der Kern des Glaubens und der Kern des Wissens in Gefahr geraten könnten. Als Bausteine für dieses Vorhaben bietet die Anthroposophie ihre Welt- und Menschensicht, ihre Reinkarnationslehre, das Karmagesetz u. a., die sie in die Pädagogik verwebt, ohne ausdrücklich davon zu sprechen. „Wissenschaftlich“ ist angeblich z.B. die pädagogische Entwicklungslehre, allein weil sie sich auf Teile der Lehren Darwins und Haeckels berufen zu können meint; zur „Erziehungskunst aber wird sie durch die Anthroposophie.

Diese aber ist vom Optimismus des Fortschrittsglaubens durchdrungen, dessen materialistische Seite sie zugleich bekämpft; denn ihr geht es um die „Erkenntnis höherer Welten“. Auf höchster Stufe wird dem Erkennenden dann die geistige Welt ansichtig, wie sie in der „Akasha-Chronik“, dem geheimen Buch der Weltenrätsel aufgezeichnet steht. Dort steht auch etwas über den Siebener-Rhythmus der Menschen-Entwicklung, die der Erdentwicklung folgt: Aus einem ursprünglichen Geistzustand wieder hin zu

[5] Es wird hier nicht ausführlicher auf die Quellen bei Rudolf Steiner eingegangen, sondern auf den Band zur „Anthroposophie“ verwiesen, der in dieser Buchreihe „Unterscheidung“ erscheint.

einem schließlichen Geistzustand über sieben Stufen, sieben Zeitalter, sieben Perioden.
Auf den Menschen bezogen bedeutet dies: Drei Erdentwicklungsstufen hat er bereits hinter sich in den drei Geburten seiner drei Leiber (physischer, Äther-, Astralleib); jetzt entwickelt er das vierte Glied, sein Ich. Teuflische (Luzifer) Kräfte und materialistische Entgleisungen gefährden ihn und mit ihm die Erde dabei. Die drei noch ausstehenden Glieder, damit die Siebenzahl erreicht wird, nämlich Geistselbst, Lebensgeist und Geistmensch könnten dabei vorzeitig verderben. Aber da taucht rechtzeitig „der Christus" auf, nähert sich aus der Geistsphäre der Erde, von dessen Annäherung die alten Mysterien berichten, weshalb diese wieder in den jungen Schulklassen eine Rolle spielen müssen, trifft dort auf den jüdischen Leib des Jesus von Nazaret und verkündet in diesem die Loslösung von blutmäßiger Gebundenheit zur Verbindung des Ich mit dem Göttlichen; Christusgeist herrscht nun über Jesusleib. Mit Tod und Auferstehung ist so die Gefahr der Vermaterialisierung gebannt; Geist durchdringt die Erde und Geist hat sich von Stoff befreit. (Auf den hier verwobenen Antijudaismus müßte in anderen Zusammenhängen eingegangen werden).
Mit über die Bibel hinausgehenden Offenbarungen und ergänzt durch „Schauungen" erübrigt sich nach Steiner seit ca. 1879 nun z.B. das materielle Abendmahl zugunsten der „geistigen Kommunion", und seit 1909 vollzieht sich die geistige Wiederkunft „des Christus", indem die Menschen sich als „Geist der Erde" erkennen. Waldorfpädagogik ist ein Teil des anthroposophischen Schulungsweges hin zu dieser Christuswerdung des Menschen im Geiste. Anthroposophie und Waldorfpädagogik betrachten sich also als meilenweit allen anderen Bemühungen um die menschengemäße Verantwortung in der Welt überlegen, weil sie des eigentlichen Weges so sicher sind. Allerdings fehlt die Gewißheit der geschenkten Erlösung; vielmehr ist der Erfolg des Weges in die Macht jedes einzelnen Menschen-Ichs gelegt, das gemäß den theosophischen Karma-Gesetzen seine Verfehlungen in mehreren Erdenleben abarbeitet bzw. ausgleicht, allerdings mit Unterstützung des kosmisch-geistigen Christus.

Was sich aus diesem philosophisch-religiösen Zusammenhang der Anthroposophie dann an Wirklichkeit, Paidologie und Theorie in der Waldorfpädagogik darbietet, ist also stets vom Ganzen her zu verstehen. Andererseits kann das nicht heißen, daß, wer das Ganze für sich nicht zu akzeptieren vermag, damit aus der Pflicht entlassen wäre, das Teilstück jenes Fadens genauer zu betrachten, mit dem er im Augenblick verwoben ist. Alle, also auch die Waldorflehrer und Anthroposophen gehen (hoffentlich) davon aus, daß wir *jetzt* handeln müssen, in welchen sonstigen Zusammenhängen und Erklärungsflüssen auch immer.

2. *Die anthroposophische „Weltanschauungsschule"*

Viele Merkmale der Waldorfpädagogik müssen nicht ausführlicher abgehandelt werden, weil sie fraglos in jeder verantwortbaren Pädagogik als bedeutsam anzusehen wären. Einige seien trotzdem wenigstens kurz genannt: Da ist das kunstpädagogische Prinzip im Sinne Friedrich Schillers; da ist die Bedeutung von Humor und schöpferischem Ernst sowie die welt-anschauungs-bildende Kraft, was leider zu oft als weltanschauungs-vermittelnde Pflicht in proselytischer Sendung mißverstanden wird; da ist die „zu große Hose", die das Kind erst auszufüllen sich anschickt, wie S. Kierkegaard es darstellte, weil die „Größe" der Dinge und Erlebnisse das intellektuelle und seelische Verstehen des Kindes zunächst fortwährend übersteigt; da ist das Anschauungsprinzip, dem jede Pädagogik seit der Reformpädagogik anhängt; da ist auch das intensive Verhältnis zur Natur, um dem Begegnungscharakter der Wirklichkeit gerecht zu werden (Schulgarten, Kristalle, Bauform etc.); da ist das Prinzip des Lernens des Lernens, der Fähigkeits- und Fertigkeitspädagogik, die den Fehlern einer Wissens- und Abfragebildung nicht verfällt; da ist die Betonung einer „Intelligenz der Initiative", der schöpferischen Phantasie und der angstfreien Erziehung (wenngleich gelenkt, so doch wenigstens vorhanden). Da sind vor allem die Künste und Handwerklichkeiten als Lebenselemente angemessener Erziehung. All das kann den weltanschaulichen Charakter der Waldorfschule kaum ausmachen; und trotzdem gelingt es der Waldorfpädagogik nicht, den Vorwurf der „Weltanschauungsschule" zu entkräften, der von vielen sehr unterschiedlichen Standorten einhellig erhoben wird.[6] Dieser Einschätzung soll noch ein wenig nachgegangen werden.

Am 24.4.1919 sagte Rudolf Steiner: „Vor allem würde ich nie anthroposophische Schulen gründen. Die Anthroposophen müßten die Methoden und die Organisation umgestalten, aber niemals Anthroposophie lehren. Als erste müßten wir die geistige Freiheit verstehen. Weltanschauungsschulen müssen wir am meisten vermeiden." Wie soll das verstanden werden? Eine Aufforderung zur öffentlichen Schule in freier Trägerschaft der Anthroposophischen Gesellschaft kann nicht gemeint sein; eine Schule, die nur so tut, als habe sie keine eigene Weltanschauung, der sie dienen möchte, – das wäre zu verlogen; soll es also eine Schule der laufenden Kompromisse sein? Im Angesicht der Schwierigkeiten beim Schulwechsel zwischen Waldorfschule und öffentlicher Schule sprach Steiner davon, daß „etwas Böses gemacht werden muß, nämlich eine Art Kompromiß" (1923, 7. Vortrag). Die Waldorflehrer hätten ja gewissermaßen zwei Ziele: dem Menschenwesen gerecht werden und den Schulwechsel ermöglichen. Der „Kompromiß"[7] lautet: zwischendurch immer wieder einmal nach den anderen Schulen schielen; das ist zwar schwierig, denn „mancher Lehrer fände es viel leichter, geradewegs auf das ideale Ziel loszusteuern", aber eine Alternative gibt es nicht. Das hier angesprochene Problem des Schulwechsels ist bis heute nicht – abgesehen von der Vergleichbarkeit gewisser Schulabschlüsse – als gelöst zu betrachten, vielmehr „riskieren" Schulwechsler aus der Waldorfschule heraus trotz des „Kompromisses" in der Regel eine um ein bis zwei Jahre verlängerte Schulzeit.

[6] Man vergleiche nur die Positionen von Klaus Prange, Heiner Ullrich, F.J. Wehnes u.a. Sie begründen ihre Einschätzung durchaus unterschiedlich, kommen aber letztendlich zum gleichen Ergebnis.

[7] Der moralischen Verteufelung des Kompromisses müßte eine demokratisch offensive Kompromißfähigkeit entgegengehalten werden. Vgl. Wilhelm, Theodor, Traktat über den Kompromiß. Zur Weiterbildung des politischen Bewußtseins, Stuttgart 1973.

Aber Rudolf Steiner hat die Erziehung eben doch in das Netzwerk seiner Ideologie / Weltanschauung eingeflochten, aus dem sie sich kaum noch befreien kann: „Eine andere Aufgabe hatte die Menschheit in der ersten, eine andere in der zweiten bis herein in unsere fünfte nachatlantische Entwicklungsepoche ... Heute kommt gewissermaßen aus den geistigen Untergründen heraus erst die Erkenntnis, was gerade in bezug auf die Erziehungsaufgabe innerhalb dieser unserer Epoche getan werden soll. Die Menschen haben bisher, selbst wenn sie mit dem allerbesten Willen pädagogisch gearbeitet haben, noch im Sinne der alten Erziehung gearbeitet, noch im Sinne derjenigen der vierten nachatlantischen Entwicklungsepoche."[8] Diese Zuordnung allen Erziehens zur Lehre von den Entwicklungsepochen der Erde und des besonderen Charakters der fünften nachatlantischen Epoche, diese geistigen Untergründe der Erkenntnis über den Erziehungsauftrag – sind sie vielleicht doch Blitzlichter des Weltanschaulichen?
Bei der Eröffnung der ersten Waldorfschule am 7.9.1919 hieß es: „Zuerst wird die Menschheit verstehen müssen, daß aus einer geistigen Weltanschauung heraus Erziehungskunst im pädagogischen, methodischen, didaktischen Sinne entstehen kann, bevor sie ‚die Menschheit' eine richtige Einsicht in Weltanschauungsfragen und ihre gegenseitigen Beziehungen haben wird. Also eine Weltanschauungsschule werden wir nicht begründen." Der Streit ist demnach vielleicht müßig: Eine Weltanschauungsschule – nein; eine aus geistiger Welt-Anschauung gespeiste Erziehungskunst – ja. „Wir haben eine Anthroposophie für Erwachsene, und der Lehrer hat heute, wenn er seinen anthroposophischen Religionsunterricht erteilt, nun damit zu ringen, für dasjenige, was er da mit den Kindern durchzunehmen hat, Inhalte zu schaffen. Es ist dasjenige, was anthroposophische Weltanschauung ist, erst in die Form zu gießen, in der es an das Kind herangebracht werden kann. Und an dieser Bearbeitung, nun einer modernen, dem Menschengeiste entsprechenden Weltanschauung für das Kind, arbei-

[8] Allgemeine Menschenkunde als Grundlage der Pädagogik, 11. Vortrag (1919), GA 293. Dornach 1973, 24.

ten wir vielfach."[9] Und derartige Aussagen sind für alle Fächer aufzuzeigen, wie nämlich aus anthroposophischer Weltanschauung Pädagogik werden soll; allerdings ist wohl nur hier sogar von einer „Weltanschauung für das Kind" die Rede (zum Religionsunterricht vgl. Kap. IV, 3).

Wir haben es bei den Waldorfschulen also nicht mit lediglich pädagogisch durchdachten und also reformpädagogischen Schulen zu tun, sondern mit praktischer Anthroposophie. Deshalb wehren sich Waldorftheoretiker auch vehement gegen die schlichte Einverleibung pädagogischer Erfolge der Waldorferziehung in die reformpädagogische Tradition, obwohl gerade diese Ähnlichkeiten die Waldorfpädagogik den Nicht-Steinerianern attraktiv machen. Nun versucht Peter Schneider seit geraumer Zeit – nicht unumstritten im eigenen Lager, aber auch von dort nicht ohne Unterstützung (z. B. durch Johannes Kiersch) – der Waldorfpädagogik ein seriöseres Fundament dadurch zu verschaffen, daß er Elemente der Erkenntnistheorie Rudolf Steiners so vermittelt, daß sie vielleicht zur Brücke des Dialogs werden könnten. Es sind im wesentlichen drei Prinzipien des menschlichen Handelns: Die *moralische Intuition*, d. h. das selbständige Schöpfen des Handelnden aus der reinen Ideenwelt zur Auffindung jener Ideale, die sein Handeln bestimmen sollen; die *moralische Phantasie*, d. h. die Fähigkeit, das so Erfaßte zur konkreten Vorstellung zu bringen durch Antizipation der möglichen Handlung; die *moralische Technik*, d. h. eine Fähigkeit zur Erfassung der Wirklichkeit, damit in ihr die Handlung zur Ausführung gelangen kann.[10] Aber auch hier ist mindestens Vorsicht angesagt: Intuition, Phantasie und Technik sind keineswegs dieselben Elemente wie sie in der praktischen Hermeneutik unter diesen Begriffen ebenfalls auftauchen; und außerdem bleibt das gewisse anthroposophische Apriori der „reinen Ideenwelt", deren Umriß nach Steiner wiederum nur über den Schu-

[9] Die gesunde Entwicklung des Leiblich-Physischen als Grundlage der freien Entfaltung des Seelisch-Geistigen. 8. Vortrag Weihnachten 1921/22. GA 303. Dornach 1969.

[10] Vgl. Schneider, Peter, Einführung in die Waldorfpädagogik, Stuttgart 1982, 154/55.

lungsweg des „Erkennens“ ausgemacht werden kann und von ihm ausgemacht worden ist. Trotzdem scheint eine Ähnlichkeit zu den hermeneutisch-pragmatischen Schritten zu bestehen, die vielleicht im Gespräch das Aufeinanderzugehen erleichtern könnte: Ermittlung des Tatsächlichen, Sinnerhellung, Sinnvergewisserung, Antizipation, Anwendung.[11] Aber das bleibt abzuwarten und kann hier nicht ausführlicher dargelegt werden.

Ein versteckter Widerspruch macht dem um Verstehen bemühten Pädagogen allerdings erhebliche Schwierigkeiten. Da wird einerseits behauptet, daß die verschiedenen Wesensglieder des Menschen kosmisch begründeten Entwicklungsgesetzen folgen; diesen Gesetzen entspräche dann eine nachgehende Erziehung. Es handelt sich also um eine Form der Entelechie, ein inneres Formgesetz. Demgegenüber aber lehrt Steiner die Selbstbestimmung durch das Ich. „Das Entelechieprinzip besagt bekanntlich, daß im Kern bereits alles angelegt ist, was im Laufe des Entwicklungsprozesses zu seiner endgültigen Form ausreift, während aus dem Geist-(Ich-)Prinzip folgt, daß das Werden der menschlichen Person, ja des menschlichen Wesens, dem Grundsatz der geistorientierten Selbstbestimmung unterliege.“[12] Rudolf Steiner denkt wohl an eine Art Metamorphose, eine Umwandlung des verborgenen Ich-Geistes durch die verschiedenen Gestalten hindurch, wobei vor der jeweils nächsten Geburt noch nichts von der nächsten Gestalt in dem Wesen verborgen liegt. Deshalb auch der jeweils altersgemäße Bewahrungscharakter des erzieherischen Auftrags. Diese Erziehung darf nicht vorgreifen, antizipieren oder gar provozieren, was künftige Gegebenheit „werden“ soll. Die „Richtigkeit“ des anthroposophischen Ansatzes ist „Glaubenssache“: Ständig wird betont, daß nur derjenige so erziehen kann, der im Geist

[11] Vgl. Gadamer, Hans-Georg, Wahrheit und Methode. Grundsätze einer philosophischen Hermeneutik, Tübingen 1965, 279ff.

[12] Vgl. unter Berufung auf: Oppolzer, Siegfried, Anthropologie und Pädagogik bei Rudolf Steiner, in: Paedagogica historica. Internationale Zeitschrift für Geschichte der Pädagogik, Gent 1962, 287–350, hier: Salzmann, Christian, Zur Pädagogik Rudolf Steiners (Waldorf-Pädagogik). Versuch einer kritischen Würdigung aus der Sicht eines Nicht-Anthroposophen; in: Pädagogische Rundschau 41 (1987) 333.

der Anthroposophie gelernt hat oder wer die Begrenztheit des materialistischen Ansatzes erkennt. Nicht eine stimmige Theorie oder eine nachvollziehbare wissenschaftliche Erkenntnis sind hier handlungsleitend, sondern der anthroposophische Glaube bzw. das aus ihm resultierende Berufsethos. Die Qualität einer Pädagogik ist allerdings nicht allein am „Erfolg“ bestimmter praktischer Einzelhandlungen abzulesen, sondern auch an dem sie tragenden Geist; sonst würden wir ja gerade den Menschen im Kind unverantwortlich vergegenständlichen und funktionalisieren.

Da Waldorfpädagogik als eine Frucht der „sozialen Dreigliederungslehre“ Rudolf Steiners betrachtet wird, treten in ihr die Prinzipien des unumstößlich Erkannten neben die Prozeßhaftigkeit des noch Werdenden, die Erkenntnis des „Meisters“ neben das Bemühen um Erkennen des Suchenden. Dem Gründungsimpuls der Waldorfschulen war seit 1917 Rudolf Steiners tätige Auseinandersetzung mit der Situation der europäischen Staaten im ersten Weltkrieg vorausgegangen, die er als eine Verquickung *politischer, wirtschaftlicher* und *geistig-kultureller* Interessen (dies sind die „drei Impulse“ der Dreigliederung) diagnostizierte, denen eine gewisse Eigenständigkeit zugestanden werden müsse. Vor allem müsse allen Menschen in den kriegsbeteiligten Nationen eine Teilhabe am Geistesleben zugestanden, die Wirtschaft müsse entpolitisiert und die Politik müsse vom Wirtschaftsleben abgetrennt werden. Künftiges Wirtschaften habe auf der Grundlage freier Assoziation der Beteiligten zu erfolgen, also nicht durch politische und Macht-Interessen.[13] Das (vorläufige) Scheitern solcher Gedanken war unmittelbare Voraussetzung für das Heranreifen des Waldorfschulgedankens. Denn wenn Politik, Wirtschaft und Kultur ein Eigenleben zu führen haben, dann besonders in der Erziehung: keine politischen Vorgaben, wirtschaftliche Unabhängigkeit und freie Entwicklung des aus vorirdischem Dasein stammenden Geistes im Überlebenskampf auf der physischen Welt. Jenseits ideologi-

[13] Vgl. ausführlicher: Leber, Stefan, Selbstverwirklichung, Mündigkeit, Sozialität. Eine Einführung in die Idee der Dreigliederung des sozialen Organismus, Stuttgart 1978; Lindenau, Christof, Soziale Dreigliederung. Der Weg zu einer lernenden Gesellschaft, Stuttgart 1983 u. a.

scher Ver-Steinerungen dürfte dieser dreigliedrige Ansatz als eine sinnvolle Standortbestimmung von Schule gelten; die in anderen Zusammenhängen losgelösten Bemühungen um eine Bereichs-Selbständigkeit finden hier ihre systemische Ordnung. Allerdings stecken darin auch wieder alle Kräfte des Wagnisses einschließlich des Scheiterns der Freiheit in der Verhärtung. Wo gibt es in der Schullandschaft vergleichbare Lösungen, die Schulen den politischen Querelen zu entziehen, sie wirtschaftlich autark zu setzen und ihnen eine innere geistige Stimmigkeit zu vermitteln? Es gibt solche Beispiele auch außerhalb der Waldorfschulen; aber sie sind außerordentlich selten, zumal in Deutschland, wo Gesinnungskontrolle ebenso Alltag ist wie jede Form des Ökonomismus (vgl. dazu Kap. III, 2).

3. Einige Darstellungen zum Alltag in Kindergarten, Schule und Heilpädagogik

In einigen „Blitzlichtern" aus dem pädagogischen Alltag soll verdeutlicht werden, wie sich die „Praxis" der Waldorf-Pädagogik verwirklicht; denn nur der Blick in die „Stuben des Lebens" wird dieses plastisch vor das Auge des Betrachters bringen. Ich beginne mit dem Selbstverständnis des Kindergartens und einigen dortigen Ereignissen. „Von dem pädagogischen und kulturellen Zentrum Kindergarten sollte auch für die ersten drei Jahre des Heranwachsens in der Familie Rat und Hilfe ausgehen, damit das Kind in Ehrfurcht vor dem Reich seiner geistigen Herkunft empfangen werde."[14] Eine Sehnsucht anthroposophischer Erziehung ist die Einflußnahme vom Beginn des Erdenlebens an; denn viele Eltern wissen ja nichts von dem, was die Anthroposophie allein weiß, nämlich von dem „Reich der geistigen Herkunft" des Kindes. Aber dieses Wissen ist die Antriebskraft des pädagogischen Handelns, wenn z. B. die „allseitige Entwicklung der körperlichen, see-

[14] von Kügelgen, Helmut, Von den Waldorfkindergärten. Eine kurze Einführung in ihre Arbeit, in: Erziehungskunst 43 (1979) 415.

lischen und geistigen Kräfte" erstrebt wird: alles im Dienste der „geistigen Welt", also keine Einseitigkeit, aber auch keine Ganzheitlichkeit, sondern Erfüllung eines geistigen Auftrages aus der „höheren Welt". Denn das „Schicksal" hat das Kind „aus der Ungeborenheit vor der Empfängnis zu seinem Erzieher geführt". Dieser in dem Kind inkarnierte Geist soll gegen die Gefährdungen der Welt zu sich selber finden. Deshalb schafft der Kindergarten eine „tatreligiöse Atmosphäre" (Jahresfeste, Lebensordnung). Wir haben es also mit keiner Situationspädagogik zu tun, wie sie in anderen Kindergärten angestrebt wird, sondern mit einem durchdachten Plan.

Zum Tatreligiösen gehört beispielsweise der Jahreskreislauf beginnend mit der Weihnachtszeit und den Krippenspielen, durch die im Kind selbst die Christgeburt lebendig werden soll. Mit den Pflanzensäften wird im Frühling die Krippe z. B. durch eine Hyazinthenzwiebel ersetzt; ihr folgt die selbständig gefüllte Tonschüssel mit Grassamen, welche zum Osternest wird. So geht es durch das Jahr mit ausgewählten Liedern und Festen: Sommerfest, Erntedank – vielleicht mit eigenem Brot aus eigener Ernte von eigenem Feld des Kindergartens –, mit Rittern und Drachenkampf zum Michaelsfest, bis endlich „umgeben von Tannengrün, das erste Adventslicht aufleuchtet und jedes Kind im Adventsgarten an der großen Kerze in der Mitte sein Licht anzündet, um dem Christkind den Weg zu bereiten"[15]. Die Kinder sind der präexistenten Heimat ihres Geistes noch so nahe, daß die Durchsonntheit des Jahres ihnen unbewußte Erinnerungen der geistigen Welt wachhalten soll. Eltern, die sich keiner Kirche mehr verpflichtet fühlen, bejahen diese so kindlich, glückvoll naiven Bilder und Vorgänge, weil sie ebenso unverbindlich wie freundlich scheinen; konfessionell gebundene vermeinen in der tatreligiösen Atmosphäre so etwas wie ihren eigenen Glauben wiederentdecken zu können. Aber an beidem sind wohl auch erhebliche Zweifel angebracht (vgl. die Unterscheidung zum christlichen Selbstverständnis im IV. Kapitel).

[15] Picht, Johanna Veronika, Das Erleben des Jahreskreislaufes, in: von Kügelgen, Helmut (Hg.), Plan und Praxis des Waldorfkindergartens, Stuttgart 1973, 31.

Das pädagogische Grundprinzip ist das nachahmende Mittun und Lernen.[16] So soll der Mensch zum Mittler werden, hinter den Medien oder Spielmaterialien zurücktreten; das Kind wächst hinein in die Menschenwelt, indem es dem Erwachsenen folgt. Hier ist weniger Dialog als Monolog, verstärkt durch die Intensität der Elternbetreuung, Elternabende, Hausbesuche.
Musizieren, Reigen, Spiel, Märchenerzählen und Puppenspiele dienen alle der Verhältnisgewinnung zu den „elementaren Kräften und Wesen" in Pflanzen und Tieren; denn die ganze Natur wird als durchgeistigt verstanden, seitdem der Gottesgeist durch das Blut des Christus sich auf Golgatha mit der Erde vermischte. Insofern haben die Zwerge, Kobolde, Wurzelmännchen u. a. eine „geistige Realität" zu vertreten; sie sind nicht etwa nur Phantasieprodukte, Bilder, ästhetische Zerstreuungen. In einem Waldorfkindergarten würde die Parallele zwischen „Dornröschen" und der Auferstehung nur Befremden erzeugen.[17] Der wirkliche Kinderglaube kennt beide, weil das Kind sich in beiden wiederfindet; das Christkind ist entweder die wirkliche Inkarnation des wirklichen Gottes oder es ist ein Nichts; dazwischen gibt es nichts. Wir müssen den Kindern erlauben, in allen drei Welten zu leben, den erfahrenen Wirklichkeiten, in der Märchenwelt und in der Welt des Glaubens. Ob die anthroposophische „tatreligiöse Atmosphäre" diesem Anspruch gerecht wird? Vielleicht begegnen wir uns in dem Wissen darum, daß das kindliche Herz und Gemüt wird festhalten können, was der Verstand eines Tages nicht mehr „begreift".
Zur Begegnung des Kindes mit der Wirklichkeit von Sterben und Auferstehung gehört eine Begegnung auch mit Sünde und eine Ahnung von Tod. Deshalb dürfen christliche Waldorfeltern sich nicht verbieten lassen, ihre märchengläubigen Kinder „aufzuklären", sich um eine Entmythologisierung der eigenen Glaubensvorstellungen zu bemühen, dieses vor den Kindern nicht zu verber-

[16] Bestätigungen zum Nachahmungs-/Imitations-Lernen aus der Sicht der allgemeinen Erziehungswissenschaft vgl. Barz, Heiner, Der Waldorfkindergarten, Weinheim–Basel 1984, 68ff.
[17] Vgl. Dirks, Walter, Dornröschen und die Auferstehung, in: Lehmann, Johannes (Hg.), Christliche Erziehung heute, München o.J., 96ff.

gen, und den Kindern die wahre Anschauung Gottes jenseits der Todesschranke zu verheißen. Ob das problemlos gehen wird, die Vereinbarkeit von Waldorfgefühlen und Elternglaube mag bezweifelt werden; aber der Versuch könnte wenigstens gemacht werden im Interesse der Kinder.

Ein Beispiel für den Übergang von Anthroposophie zu vorbildlicher, von vielen ErzieherInnen neidisch betrachteter praktisch-pädagogischer Arbeit: Für die Kindergartenarbeit wurde die pentatonisch gestimmte, von der finnischen Kantele abgeleitete, siebenseitige Kinderharfe entwickelt.[18] Gelobt wird immer wieder die beruhigende Stimmung, die von diesem Instrument ausgeht, wodurch zugleich der lauten Reizüberflutung unserer Zeit entgegengetreten werden kann. Die meisten im Waldorfkindergarten gesungenen Kinderlieder entsprechen der Quintenstimmung; ferner begleitet die Kinderharfe oftmals das Märchenerzählen oder bietet den Rahmen zum Puppenspiel. Meditative Stille wird hier im Kinderkreis erzeugt ohne die sonstigen Mahnungen. Für die älteren Kindergartenkinder gibt es das Harfenspiel als Unterbrechung des Freispiels; dann wird die Harfe zum symbolischen Instrument, steht als „Botin aus der Himmelswelt", mit welcher die Engel dem Christkind vorspielen; sie malt mit ihrem Klang die fallenden Blätter im Herbst, die klingenden Schneeflocken usw.[19] Zur Quintenstimmung heißt es: „Das Kind lebt noch im wesentlichen in den rätselvollen, schwingenden Quintenstimmungen." Das ganze niedlich-schöne Tun steht also wiederum im Dienste eines höheren Entwicklungsgesetzes. Aber – so scheint es – der Überbau ist keineswegs notwendig für das Tun; die anthroposophische Weltbetrachtung ist zwar die Quelle, aber die Wirkung könnte auch ohne diese Quelle erfolgen. Die künstlerisch-musischen Bemühungen stehen durchaus im Einklang mit reformpädagogischem Wollen; und doch hat die Waldorfpädagogik andere

[18] Pentatonisch ist eine Quintenstimmung mit der Tonfolge d-e-g-a-h-d-e. Die Wirkung der darauf hergestellten Musik entspricht ungefähr dem Spielen auf den schwarzen Tasten eines Klaviers.

[19] Vgl. Hünig, Erfahrungen mit dem Spiel auf der Kinderharfe, in: Erziehungskunst 43 (1979) 446 ff.

Resultate gezeitigt als die Reformpädagogik. Dies ließe sich vor allem an der Eurythmie darlegen, jener neuen Kunstgattung, die in Form gesetzmäßiger Bewegungen Ton- und Lautqualitäten auszudrücken versucht. Bewegungserziehung ist der reformpädagogische Impuls, dessen anthroposophische Antwort die Eurythmie ist. Braucht man Anthroposophie für eine angemessene Bewegungspädagogik? „Das liegt doch alles schon in den Anschauungen der neuzeitlichen Pädagogik. *Gewiß*, in deren abstrakten Prinzipien liegt es. Aber eben darum handelt es sich, daß eine wirkliche Erkenntnis des Menschen nach Leib, Seele und Geist dazu führe, die abstrakten Forderungen in wirkliche, lebensvolle Kunst umzusetzen. Und für dieses praktische Umsetzen ist eine Menschen-Erkenntnis nötig, die aber von diesen aus zu einem geistgemäßen Verständnis des Menschen vordringt."[20]

Die wesenhafte Beziehung des Kindes zu den gestaltenden Kräften der Welt im Gegenüber zur Forcierung des „Verlustes des Paradieses" in der gehetzten Gegenwart[21] führt zur Einbeziehung der Eurythmie in den Kindergarten; denn sie „läßt den Menschen durch das volle Empfinden auf geistgemäße Weise mit der Welt zusammenschwingen, sich mit ihr mitbewegen und läßt ihn dadurch zu sich selbst kommen, weil die gestaltenden Kräfte der Welt auch in uns sind, sowohl im physiologischen als auch im seelisch-geistigen Sinne." Weiter heißt es: „*Nur durch unser Bemühen* können wir den Kindern ihren Himmel erhalten"; die Vorbereitung des Erziehers auf sein Tun am Vortage ist das „Beschäftigen mit dem höheren Wesen des einzelnen Kindes"; „die Eurythmie möchte ja Fortsetzung sein dürfen der Arbeit, die die höheren Wesen mit der Individualität vor der Geburt und dann in der ersten Lebenszeit für die Leibesbildung, für das Gehen-, Sprechen-, Denkenkönnen geleistet haben". Die praktische Durchführung solchen Tuns läßt die Eurythmisten und mit ihnen die KindergärtnerInnen erleben, daß

[20] Steiner, Rudolf, Anthroposophie – Erziehung – Schule, in: Das Goetheanum, 25. 12. 1921 (GA 36, 281).
[21] Vgl. die immer wiederkehrende Zeit-Anklage als Begründung der Pädagogik; hier: Göbel, Elisabeth, Eurythmie im Kindergarten, in: Erziehungskunst 49 (1985) 18.

sie Defizite haben gegenüber dem Kind, allerdings weniger um von ihnen zu lernen, als vielmehr um sich der eigenen wesenhaften Zugehörigkeit zur höheren Welt zu erinnern, zu der das Kind noch stärkere Kontakte unterhält.
Dieser Zugang zur inneren Stimmigkeit und zur Vermischung anthroposophischer mit pädagogischen Gedanken könnte für die Schulzeit laufend nachgezeichnet werden. Gleiches waltet nicht nur dort, wo Waldorfpädagogik sich signifikant von öffentlicher Erziehung unterscheidet, sondern auch in der alltäglichen Stoffvermittlung. Da ist z. B. die Einführung der Buchstaben oder der Zahlen; letztere sind zunächst einmal weniger Quantitäten als Qualitäten: Die Eins ist „die größte Zahl der Welt", weil sie die Einmaligkeit repräsentiert, die einzigartige Welt, den je einzigartigen Menschen; die Eins umfaßt alles, weil alles Einzigartig ist.[22] Auf diesem Wege bekommt auch der Dualismus des 1 + 1 = 2 eine neue, kraftvolle Dimension, wenn z. B. Mann und Frau als einzigartige Wesen einander begegnen oder Erde und Himmel, Nacht und Tag. Die Gefahr, welche auf diesem Wege gebannt werden soll, ist die Denkweise, daß Resultate an die Stelle der Wirklichkeit treten, wie z. B. alltäglich bei der (diagnostischen) Realität im Gegenüber zur Wahrheit.[23] Der Weg vom Ganzen und von der Einheit zu den Teilen und von dort wieder zum Ganzen, wie ihn die Waldorfpädagogik verfolgt, stammt aus dem anthroposophisch vermittelten Weg des menschlichen Geistes durch die Inkarnationen: aus dem Weltengeist durch das Erdenleben zum Weltengeist.
Die Vermittlung der Fremdsprachen – an der Waldorfschule vom frühesten Alter an zwei Sprachen für alle „Intelligenzgrade" – folgt dem angedeuteten Prinzip; Sprache wird nicht durch Lautgestalten, Grammatikregeln und Wortbedeutungen bestimmt, sondern von der Sprachmelodie, ihrer Kultur, der in ihr verborgenen

[22] Vgl. Harress, Hans, Die größte Zahl der Welt – Menschenkundliches Rechnenlernen, in: Erziehungskunst 50 (1986) 460-464.
[23] Vgl. dazu ohne jede anthroposophische Anleihe z. B. meine Bemühungen um die „Wahrheit am Krankenbett": Rest, Franco, Von der „Richtigkeit der Diagnose" zur „Wahrheit am Krankenbett", in: Fortschritte der Medizin. Prima folia. 101 (1983) 297-320.

Lebenswirklichkeit. Deshalb ist der Lehrer mehr ein Sprachimprovisator, Pantomime, Sprachgestalter, Schauspieler. Die sprachlichen Willensenergien und der Muskeltonus sind wichtiger als das abfragbare „Wissen", das in den höheren Klassen jedoch auch sein Recht findet.[24] Die Diskussion über psychosomatisch-ganzheitliches Lernen ist in der allgemeinen Pädagogik durchaus nicht fremd; trotzdem scheint die Quantität des Gelernten auch hier immer noch vorrangig gegenüber der Qualität des daraus resultierenden Lebens.

„Formenzeichnen" ist ein anderes wesentliches Element im Unterricht des ersten bis fünften Schuljahres an der Waldorfschule, in dem sich das Prinzip wiederfindet; vorwiegend während des Hauptunterrichts als „Epoche" gegeben, soll das Formgefühl und Miterleben der Formen aus Natur, Architektur und Kunst gefördert werden. Rudolf Steiner bezog das Formenzeichnen auf den Ätherleib: Die bildhaften Eindrücke des wachen Menschen schwingen im Schlaf weiter und wollen sich vervollkommnen; das Formenzeichnen unterstützt diese Harmonisierung und Kräftigung des Ätherleibes. Deshalb die Übungen zur Formensymmetrie und zur Formenmetamorphose. Dahinter verbirgt sich die Erkenntnis, daß die Form neben Farben, Tönen, der Dichte eines Stoffes usw. zum Erlebniselement gehört, damit die Umwelt erfaßt werden kann. Die Form wird als gesetzmäßig und typisch im Gegensatz zur Gestalt in der je einzelnen Erscheinung verstanden; die Form ist das „Wesentliche", das einen Gegenstand mit seiner hintergründigen Geistigkeit verbindet. Das Formenzeichnen ist die Geometriestunde des jüngeren Kindes.

Am Ende der Schulzeit, an Waldorfschulen also nach der zwölften Klasse, steht der junge Mensch vor der Frage: „Wie kann ich mit meinen ganzen Kräften an einer Stelle in die Notwendigkeiten der Welt so eintauchen, daß ich selbst angeregt werde und daß meine Tätigkeit spontan und selbstverantwortlich mit der anderer Menschen zusammenfließt, ohne fremden, zerstörerischen Interessen

[24] Vgl. mit entsprechenden Querverweisen zur modernen Fremdsprachendidaktik: Kiersch, Johannes, Anthropologische Gesichtspunkte zum Fremdsprachenunterricht, in: Erziehungskunst 51, 1987, 422–426.

zu dienen?"[25] Die Waldorfpädagogik antwortet u.a. darauf mit verschiedenen Praktika in Klassen der Oberstufe: Feldmessen, Landwirtschaft, Industrie, soziale Einrichtungen. Das erwachende Ich-Wesen ab dem 14. Lebensjahr sucht nach der Wechselwirkung zwischen dem Zu-Gestaltenden und dem eigenen Selbst; damit sollen sich ihm die Zukunftsfragen stellen und in Spurenelementen beantworten. Das Landbaupraktikum findet in der Regel z.B. im Rahmen der „biologisch-dynamischen Anbauweise" statt, damit die angedeuteten Zusammenhänge als dynamisch und prozeßhaft begriffen werde können, was von der allgemeinen Anbauweise nicht erwartet wird; exemplarisch lassen sich die Abwehrkräfte des Bodens und der Flora/Fauna gegen die Eingriffe des Menschen nacherleben. Damit antwortet die Waldorfpädagogik auf verschiedene Gegenwartsfragen praktisch, politisch und durch In-Verantwortung-Nahme der jungen Menschen. Was könnte eine menschengemäße Erziehung anderes bzw. mehr verlangen?

Werfen wir noch kurz einen Blick in eines der zentralen Ereignisse des Jahreslaufes in der Waldorfschule, die Weihnachtszeit, wobei das Augenmerk nicht auf Basar oder dergleichen liegt, obwohl dieser manchmal allzu beherrschend werden kann, sondern auf den „Oberuferer Weihnachtsspielen". Zur Kennzeichnung des geistigen Standortes ein Zitat von Rudolf Steiner: „Denken wir in der Weihnacht daran, wie aus der Tiefe der Finsternis heraus das Licht in die Menschenentwicklung einziehen muß, das Licht des geistigen Lebens. Vergehen mußte jenes alte Licht des geistigen Lebens, das vor dem Mysterium von Golgatha, nach und nach verglimmend, da war, und das wiedererstehen muß, wiedergeboren werden muß nach dem Mysterium von Golgatha durch das Bewußtsein in der Menschenseele: daß diese Menschenseele zusammenhängt mit dem, was der Christus der Erde durch das Mysterium von Golgatha geworden ist ... Aber ein der Menschheit Heilsames wird nur entstehen, wenn die Menschen den Weg zu den geistigen Welten hin finden; wenn die Menschen nicht vergessen, daß

[25] von Mackensen, Manfred, Das Landbaupraktikum in der 12. Klasse, in: Erziehungskunst 51, 1987, 169ff. Wann das Landbaupraktikum in der Oberstufe stattfindet, ist an den Schulen durchaus unterschiedlich.

es nicht nur eine zeitliche, daß es geben muß eine immer dauernde Weihenacht, ein immer dauerndes Geborenwerden des Göttlich-Geistigen in dem physischen Erdenmenschen."[26] Auf die Deutung der hier enthaltenen Anleihen bei Christlichem wird in einem späteren Kapitel eingegangen. Hier soll nur der pädagogische Auftrag verdeutlicht werden, durch den die historische und heilsgeschichtliche Menschwerdung Jesu Christi zur Menschenseele-Weihe-Nacht umgestaltet, „vergeistigt" werden soll, damit das Göttlich-Geistige nun geboren werden kann in dem sich selbst vergöttlichenden Erdenmenschen.

Seit der Gründung der ersten Waldorfschule werden zu Weihnachten die ca. 400 Jahre alten Weihnachtsspiele aus Oberufer aufgeführt, textlich unverändert trotz der dortigen Antisemitismen, trotz der Anfragen wegen der „Zeitgemäßheit", trotz des „Vertriebenenmythos", der sich damit verbindet. Kontinuität und unverbrüchliches Festhalten an den mittelalterlichen Texten geschieht wegen der Kraft, „die über Emotionen hinweg die Menschen aus den Tiefen des Willens verbunden bleiben läßt"; denn in den Spielen können Lehrer und Kinder „die Schicksalswege der eigenen Seele im Werden der Menschheit" verfolgen.[27] Es sind (wieder) drei Spiele, das „Paradeisspiel", die Geschichte von der Versuchung Adam und Evas im Paradies, das „Christgeburtsspiel" und das „Dreikönigsspiel". Der pädagogische Dreischritt wird an den Appellen deutlich: Erkenne dich selbst! (Seinserfahrung) / Empfange das Licht in der Finsternis! (Lichtempfängnis) / Hüte dich vor dem Bösen! (Durchkraftung des Willens) Diese Schicksalsgesetze erzeugen wie durch einen Schulungsweg letztlich das anthroposophisch vorgestellte Ziel, das „höhere Ich". Mit den Spielen wird in die Kinderseele versenkt, was sich als reife Frucht am Ende der Entwicklung darstellen soll, weil „einmalige Willensentschlüsse, Empfindungen und Erkenntnisse da nicht viel bewirken".[28] Die

[26] Vortrag, 19.12.1915, Berlin.

[27] Rinke, Walter, Die Oberuferer Weihnachtsspiele, in: Erziehungskunst 47 (1983) 755–757.

[28] Vgl. die in diesem Buch verfolgte Gegenüberstellung von anthroposophischer Entwicklungs-Pädagogik und christlicher Entscheidungs-Pädagogik.

Zuschauer bei den sowohl erheiternden wie besinnlichen Spielen der Lehrer erfreuen sich an der religiösen Stimmung, ohne die hier angedeuteten hintergründigen Intentionen unbedingt zu durchschauen.

Werfen wir noch einen kurzen Blick auf die geistigen Grundlagen der anthroposophischen Heil- und Sonderpädagogik: „Ein finstrer Esel sprach einmal / zu seinem ehlichen Gemahl: / ‚Ich bin so dumm, du bist so dumm, / wir wollen sterben gehen, kumm!‘ / Doch wie es kommt so öfter eben: / Die beiden blieben fröhlich leben." Dieses in einer Eurythmie-Aufführung verwendete Gedicht Christian Morgensterns, dessen Namen eine Waldorfschule für Erziehungshilfe in Wuppertal trägt, brachte zwei „Mongoloide" (Down-Syndrom-Kinder) dazu, im Garten ein „Ich-bin-so-dumm, du-bist-so-dumm, wir-wollen-sterben-gehen, kumm"-Spiel zu spielen, als ein Besucher verwundert stehen blieb; die beiden aber sagten ihm „Nein, nein, es stimmt nicht! Wir tun nur so."[29] Dieser Vorgang kennzeichnet eine Situation, die uns in den letzten Jahren (wieder) sehr erschüttert hat, nämlich die Zur-Disposition-Stellung behinderten Lebens in den reichen Industrienationen[30], und die qualifizierte Reaktion der Waldorfpädagogik in der Gestalt der Heilpädagogik für „Seelenpflege-bedürftige Kinder" darauf, womit sie sich als Verbündete im Kampf für das Lebensrecht der Beeinträchtigten anbot. Die Kraft zu solchem Tun zieht diese Form der Heil- und Sonderpädagogik wiederum aus der Anthroposophie, d. h. aus Impulsen, die Rudolf Steiner 1924, also kurz vor seinem Tode (30. 3. 1925), gegeben hat.[31] „Wir wollen sterben gehen, kumm"; das ist Aufforderung zur Nachdenklichkeit genug „Wollen", nicht etwa, wie es andere verstehen möchten „sollen" oder „wollen sollen"; „kumm", eine Aufforderung zum Jasagen angesichts des Unausweichlichen.

[29] Die Geschichte ist entnommen: Denger, Johannes, Down-Syndrom und Pränataldiagnostik, in: ders. (Hg.), Plädoyer für das Leben mongoloider Kinder, Stuttgart 1990, 20.

[30] Vgl. Rest, Franco, Das kontrollierte Töten. Lebensethik gegen Euthanasie und Eugenik, Gütersloh 1991.

[31] Vgl. Heilpädagogischer Kurs (12 Vorträge), Dornach 1979 (GA 198); vgl. Holtzapfel, Walter, Das Seelenpflege-bedürftige Kind, 2 Bde., Dornach 1982.

Der anthroposophische Impuls Rudolf Steiners war in Kürze ausgedrückt folgender: Das Geistwesen des „behinderten" Menschen ist nicht erkrankt, sondern in seiner Entfaltung durch ein mangelhaftes Leibesinstrument beeinträchtigt; der Geist kann nicht erkranken, vielmehr verbindet sich der Erzieher mit diesem Geist und hilft ihm, sich auf die künftige Ausgestaltung in späterem Erdenleben vorzubereiten, den ererbten Körper umzuwandeln; denn „die Persönlichkeit, das Ich des Kindes ist es, das im Sonnenlicht unserer erkennenden Liebe seinen eigenen Weg durchs Leben gehen lernen muß; ... aus früheren Existenzen wurden die Vorbedingungen für dieses Leben mitgebracht"[32]. Die Seelenpflege erfolgt vor allem durch künstlerische Mittel, Bewegungsspiele, Malen, Singen, Plastizieren, Heil-Eurythmie. Die „Erkenntnisse" zur Entwicklung des Kindes vor allem nach der Jahrsiebent-Lehre kommen auch bei der Seelenpflege zur Anwendung, allerdings unter den besonderen Vorzeichen einer mangelhaften Inkarnation. Dabei entdeckt der Erzieher die Gleichartigkeit seines eigenen geistig-seelischen „Schicksalsstroms" mit dem des behinderten Kindes; dies befähigt ihn zur Schicksalsgemeinschaft des Geistes. Für viele Erzieher aus dem Geist der Anthroposophie wird Kaspar Hauser zum Vorbild, hinter dessen schicksalhaftem Erscheinungsbild „das Kind Europas" vermutet wird.

Heil-Eurythmie als das besondere, herausragende Angebot der anthroposophischen Heilpädagogik geht den umgekehrten Weg zur Eurythmie mit denselben Mitteln wie diese: das gesunde Kind wandelt seine schöpferischen Kräfte in Laute, Sprache und Bewegung; das seelenpflege-bedürftige Kind benötigt ein Angebot ausgewählter Laute, Rhythmen, Formen, damit die kindlichen Organe und Funktionen sich dem geistig-seelischen Geschehen anpassen. Besonders die rhythmische Wiederholung fordert die oftmals diffusen Organkräfte zur Konzentration, zur Ruhe und zu motiviertem Handeln.

Zu diesen Überlegungen gehört der besondere Umgang der anthroposophischen Medizin und Pädagogik mit der Krankheit und

[32] Lievegoed, Bernard C.J., Menschenbilder – Bildungsziele, in: Heilende Erziehung aus dem Menschenbild der Anthroposophie, Stuttgart 1974, 15.

Abweichung; denn sie fragt nicht in erster Linie nach den Ursachen, auch nicht nach dem Willen eines anderen, sondern nach dem inneren Sinn im Wissen darum, daß der Mensch einen von ihm „gewählten" Schicksalsweg gehen könnte, der ihn „sinnvoller Weise" hierher geführt hat. Pädagogisch wird deshalb versucht, das Häßliche in Schönheit, den schmerzhaften Fremdkörper in eine Perle zu verwandeln.[33] Dabei wird nicht von einer Meliorisation (Ausbesserung) durch die geschenkweise Zuwendung Gottes und die endliche Erlösung jedes Menschen ausgegangen, sondern eine Wiedergutmachung durch die Chance der Wiederverkörperung in Aussicht gestellt. Daß damit der Behinderte mehr oder weniger direkt als zwischenstufig, vorläufig, „mangelhaft" usw. erscheint, stört die anthroposophische Heilpädagogik offenbar nicht... Die christliche Erziehung würde von der grundsätzlichen, vollen, bündnistreuen Akzeptanz Gottes gegenüber jedem Menschenwesen ausgehen und es auch in seiner Andersartigkeit als geliebt, erlöst, Gotteskind, Partner Gottes und der Menschen verstehen wollen (obwohl sie dies sicher nur sehr defizitär tatsächlich tut).

Es ist also auch für die Heilpädagogik und Medizin ein großer Unterschied, ob das Wort des Johannes-Evangeliums „Ihr werdet die Wahrheit erkennen, und die Wahrheit wird euch freimachen" wie bei den Anthroposophen vom ersten Halbsatz her ins Leben übersetzt wird, also von einer durch den Menschen zu leistenden Erkenntnisarbeit und sei es auch durch mehrere Erdenleben, oder vom zweiten Halbsatz her, wie es die christlichen Kirchen tun, indem sie die sich schenkende Liebe Gottes, von dem die Freiheit gegeben wird, als Ferment der Freiheit in Liebe der Kinder Gottes begreifen. Vielleicht aber wird es auch möglich sein, beide Halbsätze als uhrwerkartig miteinander verzahnt zu begreifen, weil das Erkennen der Wahrheit aus dem Vertrauen in das Geliebtsein durch den, der uns befreit hat, erwächst.

[33] Vgl. die verschiedenen pädagogischen Vorschläge zu Krankheiten bei Kindern: Goebel, Wolfgang/Gloeckler, Michaela, Die Kindersprechstunde, Stuttgart 1988.

Mit dieser Darstellung der Waldorfpädagogik kann das weitere Selbststudium z.B. künftiger Eltern oder Erzieher nicht ersetzt werden. Aber die drei Zentralbegriffe „Entwicklung“, „Ich“ und „Erkenntnis“ müßten anschaulich und verständlich geworden sein. An ihnen werden sich die folgenden Gedanken immer wieder orientieren, weil sie die Verbindung zwischen Waldorfpädagogik und Anthroposophie greifbar machen. Nur auf diesem Wege kann verständlich werden, warum Waldorfpädagogik sowohl eine gute, interessante, im besten Sinne „alternative“ Erziehung ermöglicht und zugleich Unbehagen erzeugt, „gefährliche“ Tendenzen zeigt und viele Menschen mindestens „verwirrt“.

III. Kapitel: Bermerkungen der anderen Pädagogiken

1. Allgemeine und öffentliche Pädagogik zur Waldorfpädagogik

Waldorfpädagogik kann die Berechtigung eines Außenseiter-Kommentars nicht bestreiten, und sie will dies m.E. auch eigentlich nicht, obwohl es manchmal so scheint. Demgegenüber begründet sich diese Berechtigung aber auch von außen her, vor allem aus der pädagogischen Not und Unsicherheit unserer Tage und aus dem diffusen Verständnis vom Menschen in unserer multiformen demokratischen Gesellschaft bis hinein in die Kirchen. Wir stehen ja in der Gefahr, aus der Notwendigkeit einer Definition vom Menschen auf dem kleinsten gemeinsamen Nenner eine Nutzlosigkeit der Diskussion über das unserer öffentlichen Erziehung zugrundeliegende Menschenbild abzuleiten. Die allgemeine Erziehungswissenschaft steht vor dem Dilemma eines nirgends vorhandenen einheitlichen Menschenbildes (wobei noch zu fragen wäre, ob man ein solches überhaupt anstreben sollte) und der an sie gerichteten Forderung, pädagogisches Handeln für alle Kinder und alle Lehrkräfte / Erzieher zu initiieren und zu stimulieren, ohne durch Ableitung aus nicht für alle verbindlichen Normen, Werten und anthropologischen Prämissen das erzieherische Handeln uniform zu gestalten oder gar zu manipulieren. Sie soll das eine tun, ein für alle verbindliches und austauschbares Erziehungssystem schaffen, das andere aber soll sie lassen, ein verbindliches Menschenbild mit seinen ethisch-ästhetischen Normen und Werten konstituieren. Zu verweisen sei nur auf die hieraus resultierenden Versuche zur Liquidierung des Gesamtschulwesens einerseits, das nämlich zu große Pluriformität in die pädagogischen Konzepte gebracht hätte, was den konservativ-uniformen Wirtschaftsinteressen zuwiderlaufen würde, und andererseits auf die Verkümmerung vieler christlicher Ersatzschulen zu reinen Staatsschulen in freier Trägerschaft, weil sie nicht den Mut zur pädagogischen Besinnung auf das eigene Menschenbild haben und deshalb allenfalls ein wenig methodisch – z. B. mit Montessori – experimentieren.

Dies ist die Aporie der öffentlichen Erziehung, welche einerseits zum neidischen Blick auf jene verführt, die sich wie die Waldorfpädagogik nicht für alle verbindlich zu äußern brauchen und deshalb sich ein tragfähiges Menschenbild zurecht„zimmern" können, welche aber andererseits zur Verdrängung des Problems selbst führt, eine Verdrängung, die sich z. B. in der immer noch spärlichen Auseinandersetzung der akademischen Erziehungswissenschaft mit der anthroposophisch gerichteten Erziehung äußert oder auch in der Berühungsangst zwischen den Kirchen und der Anthroposophie.

Die älteren Werke der Geschichte der Pädagogik und der Allgemeinen Erziehungswissenschaft enthalten oft keinen Hinweis auf Rudolf Steiner oder die Waldorfpädagogik. Und trotzdem hat sich auch ein Teil der öffentlichen Pädagogik schon sehr früh und gleich auch recht intensiv damit befaßt, z. B. Linus Bopp bereits 1930[1], also schon 10 Jahre nach der Gründung der ersten Waldorfschule 1919, als sich erst wenige Kinder in wenigen derartigen Schulen befanden; Bopp kam damals zu folgender Würdigung der „anthroposophischen Pädagogik": „Wir können in der Pädagogik nichts pädagogisch Neues von Bedeutung entdecken; neu ist nur die Weltanschauung; sie ist aber das Schwächste. Gleichwohl zeigt die anthroposophische Pädagogik, was eine Lehrerschaft in einer weltanschaulich geschlossenen Schule vermag, wenn sie erfüllt ist von ‚Enthusiasmus' für die Weltanschauung und damit den Sinn für die Werte der Zeit verbindet." Aber etwa seit 1960 beginnt dann die Erziehungswissenschaft sich mit diesem Phänomen ausführlicher zu befassen, wozu sie sich einerseits durch die dringende Suche nach pädagogischen Alternativen (antiautoritäre Bewegung, politische Protestbewegung, antikapitalistische Erziehung, wiedererwachendes Naturbewußtsein wie Hippie- und

[1] In: Josef Spieler (Hg.), Lexikon der Pädagogik der Gegenwart. (Institut für wissenschaftliche Pädagogik Münster), Freiburg/Br., 1930, 78-84. Der Artikel geht über nahezu 7 Spalten und ist außerordentlich kenntnisreich.

Landkommunebewegung, frühes Lesen-Lernen, Mengenlehre) bemüßigt sah, und andererseits durch das vorläufig ungebremste Anwachsen des Phänomens selbst gezwungen sieht, nachdem die Zahl der Waldorfschulen und Waldorfkindergärten immer noch stetig steigt und die „Stückzahl" jeder anderen Ersatzschulform weit übertrifft, obwohl die eigene Pädagogenausbildung damit allenfalls quantitativ Schritt zu halten vermag.
Christoph Lindenberg[2] nannte ein Bündel von Merkmalen der Waldorfschulen, welche jedoch damals an vielen Ästen des einen Baumes radikaler Schulreform entstanden und auch für unsere Zeit noch oft revolutionär klingen:

- Organisation der Schule aus der Zusammenarbeit von Eltern, Lehrern und Schülern,
- Selbstverwaltung und kollegiale Leitung,
- Priorität der kindlichen Entwicklung vor dem curricularen Stoff (nicht das Kind ist für den Stoff, sondern dieser für das Kind da),
- Fremdsprachen bereits in der Grundschule,
- Einbeziehung der Arbeit als erzieherisches Mittel in die Schule durch intensive Verschränkung der künstlerischen mit der handwerklichen Bildung,
- Epochenunterricht (mehrwöchiges Verweilen bei einem Thema),
- weitgehender Verzicht auf Auslese durch Sitzenbleiben und Zensuren,
- differenzierte Gesamtschule ohne Leistungsgruppendifferenzierung (soweit möglich),
- institutionalisierte Lehrerfortbildung innerhalb der schulischen Praxis,
- Psychosomatische Bildung durch Einbezug des Arztes bzw. gesundheitlicher Aspekte in den Unterricht.

Gegen all dies vermag und darf die akademische Erziehungswissenschaft nichts einwenden; sie kann allenfalls fragen, welches Merkmal innerhalb des schulischen Berechtigungssystems übernommen und auf welches verzichtet werden könnte. Im Gegenteil,

[2] Lindenberg, Christoph, Waldorfschulen, Hamburg 1975, 15f.

die Erziehungswissenschaft muß zugestehen, daß es ihr bislang nicht gelungen ist, diese oder andere vergleichbare Postulate ihrer eigenen Wissenschaftsgeschichte in der praktischen Arbeit der „Staatsschulen" vollumfänglich zu sichern, obwohl viele Merkmale inzwischen mehrfach auch empirisch untermauert wurden; leider werden eben öffentliche Schulen weniger von der Erziehungswissenschaft als von anderen Kräften geplant und verwaltet (Wirtschaft, Industrie, Parteipolitik u. a.). Zugleich ist es ein Problem jeder wissenschaftlichen Bemühung, daß sie ein Mehr an Erkenntnissen produziert als sie im Praktischen zu realisieren in der Lage ist; sie bietet ihre Erkenntnisse an, hat aber nur wenig Einfluß auf deren Umsetzung. Die Erziehungslehre (pädagogische Praxeologie, Schulpädagogik) hat viele andere Resultate wissenschaftlichen Mühens für wichtiger erachtet als die eben genannten, obwohl sie deren Bedeutung keineswegs verkennt, zumal sie sich in manchen dieser Fragen selbst noch in einem Lernprozeß befindet (z. B. bezüglich der Psychosomatik). Hier war eben die Praxis der Reformschulen partiell der Theorie voraus und wartet nun seit vielen Jahren auf theoretische Sicherung.

2. Historische Aspekte

Betrachtet man den historischen Standort der Waldorfpädagogik, so erscheint sie als Produkt der Gleichzeitigkeit pädagogischer Strömungen, die alle eingebettet sind in den humanistischen und weltanschaulichen Zeitgeist der Jahrhundertwende und der republikanisch-demokratischen Bewegung in Europa (Wandervogel, 1901; Hoher Meißner, 1913; Weimar und die Bündische Jugend, 1923; Frauenbewegung). Rudolf Steiner (1861–1925) kam nach der Befassung mit Max Stirner, Ernst Haeckel, Friedrich Nietzsche und Karl Marx zu Johann Wolfgang von Goethe und setzte neben die ältere theosophische Bewegung seine „Anthroposophische Gesellschaft". Das eigentliche Datum des Waldorf-Schul-Gedankens ist 1919, das Gründungsjahr der Freien-Waldorf-Schule in Stuttgart.

Die historische Situation von 1919 war gekennzeichnet durch das Massenelend infolge des ersten Weltkriegs; in Deutschland gab es 4.248.158 Verwundete des Heeres, im Jahre 1924 zusätzlich 663.726 Kriegskrüppel, im Jahre 1926 1.514.150 vom Staat versorgte Kriegerhinterbliebene, darunter 370.981 Witwen und 917.890 Waisen. Solchen Problemen mußte sich die neue Reichsregierung stellen; und dabei war das Schulproblem mit Abstand das geringste. Trotzdem entstand in diesen Jahren all das, was später unter Arbeiterkunst und Kultur der 20er Jahre verstanden wurde; z. B. wurden 1919 nahezu gleichzeitig die Zeitschrift „Der Dada" von Heartfield, Grosz u. a. und die faschistisch-antisemitische Zeitschrift „Auf gut deutsch" von Alfred Rosenberg gegründet. Auf der Reichsschulkonferenz von 1920 wurde die Forderung erhoben, Kinder sollten nicht auf eine freie Berufswahl hin erzogen werden, sondern auf jene Berufe hin, die gebraucht werden; und das seien nun einmal 50% ungelernte und angelernte Arbeiter. Von höherer Geistesbildung war kaum die Rede. Nur 6,5% aller Kinder besuchten eine höhere Schule, und davon waren nur 4% Arbeiterkinder; Besitzende umgingen oftmals die Schulpflicht durch Privatschulen, Privatlehrer, Überspringen von Klassen. Rudolf Steiner selbst war von 1884 an sechs Jahre als Privatlehrer in einer Wiener Kaufmannsfamilie tätig.

Die staatlichen Schulen waren von dem wirtschaftlich angeblich erforderlichen Auslesecharakter geprägt, dem jegliche Förderung der besonderen Begabungsarten zum Opfer fiel. Trotzdem – oder gerade deshalb – entwickelten sich in der frühen Weimarer Zeit zahlreiche Schulversuche und Schulreformen: z. B. die „Sammelschulen", die dezidiert antireligiös-weltlich orientiert waren; oder auch die Lebensgemeinschaftsschulen, bei denen Kopf- und Handarbeit zusammenwirkten. Nahezu alle bundesrepublikanischen Schulversuche nach dem zweiten Weltkrieg haben von den Reformbemühungen seit den Jahren um 1918 gezehrt. Trotzdem waren Schulreformen eine verschwindende Ausnahme und kamen nur sehr wenigen Kindern zugute; das gilt sogar für die stärkste Reform, die Arbeitserziehung und den Werkunterricht, denn zumeist fehlte es an Lehrern oder an Materialien. Der Arbeits- und

Werkansatz wurde oftmals aus dem Mangel heraus zur Kostensenkung herangezogen, z. B. bei Gebäudereparaturen oder bei der Erstellung von Unterrichtsmaterialien. Die Waldorfpädagogik nutzt die darin verborgenen Chancen nach wie vor ohne Scheu, indem Eltern und Schüler regelmäßig zu Schulrenovierungen und anderen praktischen Leistungen an Schulgebäuden, Funktionsräumen, Schulgarten und Schulhof herangezogen werden, allerdings durchaus anders motiviert als bei der Arbeitspädagogik, nämlich vom geistigen, anthroposophischen Schulungsweg her.
Von Edwin Hoernle[3] stammt die Feststellung aus dem Jahre 1922: „Unter den heutigen Machtverhältnissen hat die ganze pädagogische Experimentiererei an einzelnen Volksschulen keinen anderen Erfolg, als Lehrer wie Eltern abzulenken von dem, was not tut, nämlich den Kampf um die ganze Schule. Während man da und dort eine Versuchsschule gründet, bleiben 99 % aller Volksschulen im argen. Während hundert Kinder alle Finessen ausgesuchtester Pädagogik nach neuesten Systemen zu genießen bekommen (von Kerschensteiner bis Montessori), werden Millionen Tag für Tag, Stunde um Stunde geprügelt, gequält, gedrillt, verwahrlost. Indem die Behörden da und dort eine Versuchsschule zulassen, entheben sie sich ihrer Pflicht, eine brauchbare Gesamtreform aller Schulen durchzuführen . . . Und das Ende vom Lied? Die Resultate der Versuchsschulen werden niemals Allgemeingut; im Gegenteil, die 99 % Volksschulen verwahrlosen immer mehr, und die Klassenfrequenz wird erhöht, die Zahl der Lehrer vermindert . . . Lehrmaterial geht zugrunde, die Prügelei nimmt zu." Der Text hat leider heute nahezu die gleiche Aktualität wie damals; denn mit dem Hinweis auf die Waldorfschulen wird jenen Eltern die Spielwiese exquisiter Pädagogik zuteil, die sichert, daß ihr Reformwille sich nicht an dem Allgemeinen vergreift, zumal ihnen Rudolf Steiner und die Anthroposophie jede rollende Reform ohnehin abgenommen haben. Die öffentlichen Schulen sind nicht schlecht, ihre Lehrer sind hoch qualifiziert; nur fehlen die Freiheit des Schaltens- und Waltens nach dem pädagogisch Erforderlichen,

[3] Kunstamt Kreuzberg, Berlin, und Institut für Theaterwissenschaft, Köln (Hg.), Weimarer Republik, Berlin–Hamburg 1977, 567.

und die Ansprüche einer Konkurrenz- und Auslese-Gesellschaft sind zu erdrückend. Die erste Waldorfschule war zwar eine Arbeiterschule (für die Kinder der Arbeiter der Waldorf-Astoria-Zigaretten-Fabrik in Stuttgart), hatte aber keinen politischen Auftrag im Sinne Hoernles und entwickelte sich daher auch konsequent vom Arbeiterbildungs-Auftrag weg, der in abgewandelter Form erst wieder beim Hibernia-Schul-Gedanken (eine Waldorfschule der Integration von allgemeiner und beruflicher Bildung in Herne II) erkennbar zu werden scheint.

Nimmt man nun einige der wichtigsten Errungenschaften der damaligen pädagogischen Bewegungen, auf deren alltägliche Verwirklichung Waldorfpädagogen wohl zu recht stolz sind, so erkennt man recht schnell, daß einerseits viele Gedanken der Zeit wie in der Kunsterziehungsbewegung, der sogenannten Reformpädagogik, der „Pädagogik vom Kinde aus", der Arbeitsschul-Pädagogik, der sogenannten Jena-Plan-Schulen, der Landerziehungsbewegung, der „Internationalen Schule" und vielen anderen hier zu einem pädagogischen System zusammengeflossen sind[4]; andererseits aber wird erkennbar, daß in all dem nichts eigentlich Neues oder Originäres im Gegensatz zu den vielfältigen Bemühungen anderer entstand (die öffentlichen und anderen freien Schulen haben nur vielfach ihre eigenen Impulse vergessen oder verraten, vielleicht auch verraten müssen, z.B. nach 1933), sondern daß die wirkliche Originalität in der die Waldorf-Schul-Bewegung tragende esoterisch-gnostischen Gemeinschaft und in dem Menschenbild begründet liegt, auf das hier nicht noch näher eingegangen werden soll, da jede Auseinandersetzung mit dem geiststofflichen Monismus der Anthroposophie den gesteckten Rahmen sprengen würde und jeden Gedanken einer möglichen Übertragbarkeit auf andere Schulen von vornherein gefährden könnte (vgl. das IV. Kapitel dieses Buches).

[4] Am Beispiel der Kunsterziehungsbewegung ließen sich z.B. wesentliche Quellen des Waldorf-Kunstunterrichts (Langbehn, Julius, Rembrandt als Erzieher, 1889; Götze, Carl, Das Kind als Künstler, 1898; Weber, Ernst, Ästhetik als pädagogische Grundwissenschaft, 1907) ebenso nachzeichnen wie der Eurythmie (Isadora Duncan, Jacques Dalcroze u.a.).

Es wäre nun sicher reizvoll, Merkmale der Waldorfschule, wie sie Christoph Lindenberg benannt hatte, an solchen vergleichbaren Entwürfen zu messen, etwa an der Jena-Plan-Schule (1927), den Landerziehungsheimen (seit 1898), der Odenwaldschule (1910), Berthold Ottos Reformschule Berlin-Lichterfelde (1902), Summerhill (1921) oder Maria Montessori (seit 1900). So hat Peter Petersen seine Jena-Plan-Schule als „frei" bezeichnet, weil „sie ihr Innenleben, ihr Ethos und ihre Organisation immer neu schafft aus der freien Vereinigung der Eltern und der Gilde der Erzieher, aus deren Gemeinschaftsgeist die Formung des neuen Menschen erreicht werden soll"[5].

Seine Schule kennt wie die Waldorfschulen auch kein Sitzenbleiben mehr und als differenzierte Gesamtschule keine Leistungsgruppendifferenzierung. Neben dem Gespräch, dem Spiel und der Feier hat die Arbeit im Schulgarten oder in der Wohnstube einen gleichen Rang als Grundform des Lernens, Sich-Bildens usw. Trotzdem unterscheiden sich Jena-Plan-Schulen und Waldorfschulen, die doch beide angetreten sind, „Menschenschulen" im Sinne Pestalozzis zu sein, ganz erheblich voneinander (z. B. in den ästhetischen Maßstäben, der methodisch-didaktischen Umsetzung des Reinkarnations-Gedankens, in der Auswahl der vermittelten Inhalte). Ähnliche Beobachtungen gelten für den Epochenunterricht im Vergleich zum „Gesamtunterricht" bei Berthold Otto oder für die Distanz zur Lehrplan-Schule. Es ist jedoch um so interessanter, daß sich die Waldorfpädagogik stets vergleicht mit öffentlichen „Staatsschulen" (ein nicht gerade hilfreicher Sammelbegriff), die ja unter völlig anderen Voraussetzungen angetreten sind, – und meines Wissens nirgends mit den übrigen Alternativ-Schulen (Ersatz-Schulen)[6].

Ein Beispiel aus dem Berlin der 20er-Jahre mag hilfreich sein, weil an seinem Anspruch auch die damals gegründete Waldorfschule gemessen werden kann, und vor allem, was daraus geworden ist;

[5] Saupe, Emil, Deutsche Pädagogen der Neuzeit, Osterwieck/Harz 1929. Vgl. Kosse, Wilhelm, Erziehung und Lebenssinn, Oberursel/Taunus 1967.

[6] Dies dürfte der Waldorfpädagogik auf die Dauer sehr schaden und sie in der Selbstbetrachtung erstarren lassen.

denn eine Schule mit derart bestimmender Schülerselbstverwaltung enthielte doch zu viel Basis-Demokratie, als daß sie in die 30er-Jahre hinein Bestand haben konnte. Es handelt sich um die Arbeit der Lebensgemeinschaftsschule[7]: „1. Der Gesamtunterricht wird eingestellt auf die schöpferische Arbeit der Hand und des Geistes. Mit dem Grundsatz materieller Bildung wird rücksichtslos gebrochen. Kenntnisse und Fertigkeiten sind natürliche Ergebnisse schaffender Arbeit, nicht Selbstzweck des Unterrichts. 2. Verbindliche Stoffpläne werden nicht aufgestellt. Der ordnende Grundsatz aller Schularbeit ist die Entfesselung schöpferischer Kräfte im Kinde. 3. An Stelle der Lehrpläne tritt der Arbeitsplan der Lebens- und Arbeitsgemeinschaften. Die allgemeinen Richtlinien, die die amtlichen Richtlinien festlegen, werden auf der Unterstufe nach 4 Jahren, auf der oberen Stufe nach 6 und 8 Jahren erfüllt. 4. Stundenpläne fallen fort. Für den Fortgang der Arbeit ist das wechselnde Bedürfnis der Gemeinschaft und der natürliche Ablauf der Arbeit selbst, d. h. der aller wissenschaftlichen, künstlerischen und technischen Arbeit innewohnende gesetzmäßige Zwang zur Vollendung entscheidend. 5. ... Lebensgemeinschaften sind die Stätten des gemeinschaftlichen Lebens und der gemeinschaftlichen Arbeit, Stätten der Allgemeinbildung. In den Arbeitsgemeinschaften weitet und vertieft sich die Allgemeinbildung zur Fachbildung den besonderen Begabungen und Neigungen der Schüler entsprechend." Vieles hier Gesagte klingt wie eine Kurzfassung von Waldorfpädagogik ohne deren okkult-esoterische Ausflüsse.

Der geistesgeschichtliche Hintergrund und das Kolorit der beiden ersten Jahrzehnte des 20. Jahrhunderts kann eingefangen werden bei intensiverer Beschäftigung mit den Zeitgenossen Rudolf Steiners. Ich denke dabei vor allem an Heinrich Vogeler oder Hugo Höppner (später „Fidus" genannt). Fidus war Geistesgefährte Rudolf Steiners und einige Male kreuzten sich auch ihre Wege, aber gleichzeitig war er Freikörper-Ideologe; er war Theosoph und schloß sich „mit fliegenden Fahnen" 1933 der nationalsozialisti-

[7] Nydahl, Jens, Das Berliner Schulwesen, Berlin 1928, 54.

schen Idee an; er war wie Rudolf Steiner eingebettet in die Reformbewegungen seiner Zeit (Tempelbau, Homöopathie, Bodenreform, Jugendstil, neue Gnosis). Es lohnt sich für das Nacherleben der Zeit, sich darüber weiter zu informieren.[8]

3. Erläuterungen zu Einzelfragen

Ein etwas eingehenderes Bild der angeblichen oder auch tatsächlichen Besonderheiten der Waldorfpädagogik läßt sich anhand der erziehungsphilosophischen, psychologischen und inhaltlichen Merkmale nachzeichnen. Im folgenden werde ich also versuchen, einige dieser Merkmale zu benennen und meinem Verständnis nach zu beleuchten.

a) „Antiintellektualismus“

Seit der Reformpädagogik ist die Forderung nach früher intellektueller Selbständigkeit des Kindes immer wieder neu begründet worden und hat zu großen Leistungen in der praktischen Erziehungsarbeit geführt, aber auch zu Entartungen durch vorverlegten intellektuellen Leistungsdruck in die Vorschule als fast ausschließliches Erziehungsprinzip. Die Waldorfpädagogik widersetzte sich standhaft diesem intellektuellen Selbständigkeitsstreben der Kinder und allen diesbezüglichen pädagogischen Bemühungen der Gegenwart, auch methodisch darauf einzugehen, indem sie diesem Streben jede Unterstützung verweigerte. Das wird sichtbar an der äußeren Unterrichtsform, die den vom Lehrer geleiteten Klassenunterricht gegenüber dem Gruppen- oder Einzelunterricht, gegenüber der Selbstorganisation kleiner Lerngemeinschaften u.a. bevorzugt. Hier wird der Gleichwertigkeit der kindlichen Persönlichkeit gegenüber dem Erzieher zugunsten einer nur stufenweisen Persönlichkeitsentwicklung entgegengear-

[8] Vgl. Frecot, Janos; Geist, Johann Friedrich; Kerbs, Diethart, Fidus (1868-1948). Zur ästhetischen Praxis bürgerlicher Fluchtbewegungen, München 1972.

beitet; der „Verlust der Kindheit“ soll durch Konservierung der Kindheit aufgehalten werden.
Es hat den Anschein, als gelänge es der Waldorfpädagogik durch ihre Hypothek seitens Goethe und Steiner nur mühsam, an die wissenschaftliche Diskussion zur kindlichen Intelligenzentwicklung (Piaget u. a.) und zur kindlichen Entscheidungsfähigkeit sowie zu deren Bedeutung für das Gesamtverhalten des Menschen (und der Menschheit) Anschluß zu finden. Sie glaubt, genügend Gründe für dieses Bremsen bzw. für diese Stagnation in den Streßerkrankungen und Angstneurosen vieler, auch kleiner Kinder zu finden, deren tatsächliches Ausmaß ja unbestritten erschreckend ist. Trotzdem scheint mir die Herauszögerung einer individuellen Begabungs- und Interessenförderung bis zum 14. Lebensjahr einer eingehenden Revision bedürftig. Im übrigen wird ein tendenzieller Antiintellektualismus bereits in frühen Jahren durch die herausragende Mythenbildung (Märchen, Sagen, biblische Geschichten) deutlich, welche ausdrücklich nicht in kritischem Hinterfragen oder in einer Analyse dieser Mythen enden soll; vielmehr wird einem fragwürdigen Eigenleben der Mythen im Seelenleben des Kindes und Jugendlichen aufgeholfen.

b) „Entwicklungspädagogik“

Diese Selbstbeschränkung hängt zusammen mit der im höchsten Maße strittigen Entwicklungspsychologie des Kindes und Jugendlichen, dem ein ähnlich gestufter „Schulungsweg“ des Erwachsenen entspricht. Jene Wachstumspädagogik nach Jahrsiebten ist so alt wie das Abendland (Solon, um 600 vor Chr.). Aber die huldvolle Verneigung vor dem Alten muß deshalb nicht für jede Zeit und jeden Ort angebracht sein. Auch daß Goethe sein eigenes Leben nach diesen Maßstäben beurteilte, ist kein unbedingtes Kriterium für zeitlose Richtigkeit – und sollte es auch für Anthroposophen nicht sein. Vielmehr muß beachtet werden, daß einerseits sich die Erkenntnisse der Entwicklungspsychologie und Lebenslaufpsychologie nahezu jährlich verfeinern, verändern und vor allem präzisieren. Die Folge davon ist eine intensivere Adäquatheit

des pädagogischen Handelns gegenüber der individuellen Bedürfnis-, Begabungs-, Intelligenz- und Interessenlage, wie sie sich z. B. in den Werken Piagets, Eriksons und K. Lewins widerspiegelt. Eine andere Folge ist allerdings auch die Gefahr, daß eine Ideologie größerer Gesetzmäßigkeiten der Entwicklung des Menschen zur verstärkten Anpassung mißbraucht wird und der Mensch an die Abhängigkeit vom Planungs- und Verplanungsbedürfnis der Gesellschaft verraten wird, die ja ebenfalls dazu neigt, individuelles und persönliches Entwickeln hinter den Erfordernissen von Industrie und Wirtschaft zurückzustellen. Wer sich dann dem gesellschaftlichen Anpassungsdruck nicht unterwerfen will, liefert sich vielleicht um so bereitwilliger der Überzeugungskraft von Gurus aller Art aus (vgl. den Anteil der aus dem Waldorfspektrum entstammenden Mitglieder bei Bhagwan, der „Christlichen Wissenschaft" oder im „New Age").
Andererseits hat die Waldorfpädagogik meines Wissens nahezu keine Kenntnis genommen von der Korrektur derartiger Entwicklungsmodelle durch die moderne Sozialisationsforschung, deren Verdienst es ist, den Nachweis einer in den sozialen Gruppen und Schichten differenten Erziehungspraxis und der Determinanten für kulturelles, personales und soziales Rollenverhalten geführt zu haben. Die Entwicklung des Menschen verläuft danach noch weniger nach Gesetzmäßigkeiten der biologischen Masse ab; das Gesetzmäßige einer Entwicklung hat nur noch eine untergeordnete Bedeutung gegenüber den prägenden Wechselbeziehungen von Gesellschaft, Kultur, Wertsystem, Gruppe, sozialem Normgefüge, Umwelt und schließlich personal-geschichtlicher Akzente. Außerdem droht die Waldorfpädagogik oftmals die Abweichler von den Entwicklungsgesetzen zu diskriminieren, z. B. direkt durch Verdächtigungen eines zu häufigen Fernsehkonsums oder indirekt durch die öffentliche Hervorhebung „schöner Häupter" oder „harmonischer Glieder" etc. innerhalb einer Klassengemeinschaft.

c) „Temperamentenlehre“

Zu den im Wortsinne frag-würdigen Annahmen, die der Waldorfpädagogik zugrunde liegen, gehört vor allem auch die Typen- bzw. Temperamentenlehre. Aus der Antike übernommen, werden die Menschen vier mit den Körpersäften zusammenhängenden Temperamenten: Sanguiniker (lebhaft), Melancholiker (schwermütig), Choleriker (leidenschaftlich) und Phlegmatiker (bedächtig) zugeteilt, denen einerseits zwei hypokratische Körperbautypen und andererseits entsprechende Verhaltenstypen zugeordnet werden (apoplecticus – Schlagfluß, phthisicus – Schwindsucht / Erregbarkeit – Stärke).
Auch die moderne Wissenschaft hat sich mit diesen Einteilungen befaßt. Ungefähr gleichzeitig mit Rudolf Steiners pädagogischen Bemühungen erschien Ernst Kretschmers Buch „Körperbau und Charakter“ (1921). Auch seine Grundidee war die für die moderne Psychosomatik so bedeutsame Affinität zwischen dem Körperbau und den Eigenschaften der menschlichen Persönlichkeit. Anders als Rudolf Steiner, der mit der Temperamentenlehre ein Laien-Diagnose-Mittel für Zuordnung und gegenseitige Beeinflussung von Menschen entwickeln wollte (Schüler werden im Klassenverband z. B. nach Temperamenten gesetzt, bei der Einschulung wird auf eine tempramentale Ausgewogenheit der Klasse geachtet), ging es Kretschmer ausschließlich um ein kompliziertes Instrument psychiatrischer Beobachtung zum Erkennen und Heilen von schizophrenen, manisch-depressiven und epileptischen Erkrankungen. Die Temperamentenlehre in der Waldorfpädagogik betrachtet den Menschen isoliert, ohne die Abhängigkeit des jeweiligen Typs von seinem Weltverhältnis in den Griff zu bekommen. Gerade diesen Vorzug haben aber die Vorstellungen C. G. Jungs und H. Rohrschachs aus demselben Jahr 1921, die vom Erlebnistyp des Intro- oder Extrovertierten ausgehen und damit die Wechselbeziehung von Selbst- und Weltverhältnis erheblich offener begreifen; dadurch wurden diese Vorstellungen für den Fortgang der modernen Wissenschaften (von der Pädagogik bis zur Medizin) auch fruchtbarer.

Vielleicht ist Rudolf Steiners Rückgriff auf Goethes konservativ-pietistische Vorstellungswelt statt auf Schillers Unterscheidung zwischen Naivem und Sentimentalem oder Nietzsches dionysischen und apollinischen Stilformen hier entscheidend gewesen. Das eigentliche Problem aber besteht m.E. in der Anwendung derartiger Typologien auf die Erziehung, da sie ja ihre Entstehung nur den subjektiven Ähnlichkeitseindrücken verdanken, durch welche jeweils eine „Einheit in der Mannigfaltigkeit" (Kant) herausgehoben wird. Kinder im Klassenverband nach Temperamenten einzuteilen, ja in der Sitzordnung entsprechend zu verteilen, kann ebenso ein Hilfsmittel zur Individualisierung wie zur Stigmatisierung sein. Auch die Reflexion des Lehrers über sein eigenes Temperament kann wie zu kontrolliertem Handeln so auch zu einem Verhalten nach der „sich selbst bewahrheitenden Prophezeiung" führen.

d) „Geisteswissenschaft"

Das Erstaunliche der Waldorfpädagogik liegt aber gerade darin, daß trotz des Fließsandes, auf dem das Fundament ruht, ein einigermaßen sicheres Gebäude errichtet werden konnte. Der Grund dafür ist neben der esoterischen Gesellungsform die Tatsache, daß an einer Stelle versucht wurde, den Fließsand zu durchstoßen und die Pädagogik auf tieferen Erdschichten zu verankern. Dieser Punkt scheint mir nicht im neognostischen, anthroposophischen Menschenbild, sondern in der geisteswissenschaftlichen (Wissenschafts)-Theorie zu liegen, von der sich die moderne Pädagogik sträflicherweise weit entfernt hat, obwohl rückläufige Tendenzen glücklicherweise zu verspüren sind, die reformpädagogisches Gedankengut wiederbeleben. Aber in der Geisteswissenschaft Rudolf Steiners und in der Hermeneutisch-Pragmatischen Erziehungswissenschaft („Geisteswissenschaftliche Pädagogik") im Anschluß an Wilhelm Dilthey (1833-1911) und Wilhelm Flitner[9] haben sich Parallelen gefunden, die es erlauben, hier die

[9] Geb. 1889, vgl. sein Buch: Das Selbstverständnis der Erziehungswissenschaft in der Gegenwart, ^{2}1958.

Antwort auf die Frage nach den Gründen der Erfolge zu suchen, welche die Waldorfpädagogik zweifellos zu verzeichnen hat. Einige solche Parallel-Merkmale mögen genügen, um meine Vermutung abzusichern.

Der situationspädagogische „Verdauungsprozeß" Rudolf Steiners und der hermeneutische Zirkel

Mit dem Begriff des situationspädagogischen „Verdauungsprozesses" greife ich auf ein Bild Rudolf Steiners selbst zurück, mit dem er den Weg der bewußt erlernten pädagogischen Theorie über die meditierende Reflexion in die erzieherische Alltagsarbeit und von dort zurück zur menschenkundlichen Theorie beschrieb. Nicht die Anwendung von Theorien der Vergangenheit auf die gelebte Praxis schafft Erziehungskunst, sondern die Übersetzung im Medium des erzieherischen Denkens läßt den Erzieher der pädagogischen Situation gerecht werden: So wird die einmalige, unwiederholbare Situation erzieherisch gestaltet.
In solchen und anderen Darstellungen des theoretischen Ansatzes der Waldorfpädagogik[10] werden Vorgänge sichtbar, wie sie m. E. präziser und ohne okkult-blumenreiche Sprache für die Gegenwartspädagogik fruchtbar geworden sind (vielleicht allerdings weniger in der Schulpädagogik als in der Jugendarbeit, Sozialpädagogik und anderen außerschulischen / außerunterrichtlichen Bereichen). Der Verstehensvorgang zeichnet Zirkelbewegungen wie: von der Praxis zur Theorie und zurück zur Praxis; vom Selbstverstehen des Erziehers zum Fremdverstehen des Schülers / Zöglings; von der Einheit im Spiegel der Vielfalt zur Vielfalt im Spiegel der Einheit; vom Verständnis der Teile durch das Ganze zum Verständnis des Ganzen durch die Teile u. a. Der bedeutsamste dieser hermeneutischen Zirkel ist sicher das Erzieher-Zögling-Verhältnis, dessen Wechselbeziehung einerseits konstitutiv für Erziehung geworden ist, jedoch im Gegensatz zu Herman Nohl (1930) bei Rudolf Steiner keine Wirkung der Gleichberechtigung darstellt

[10] Vgl. Kiersch, Johannes, Die Waldorfpädagogik. Eine Einführung in die Pädagogik Rudolf Steiners, Stuttgart 1970, 16–18.

(wenigstens nicht bis zum 14. Lebensjahr), dessen Aufbau andererseits dem Wechsel von Distanz und Beziehung entspricht.

Die „Planlosigkeit" als anticurriculares Prinzip und die unsteten Formen der Erziehung

Immer wieder betont die Waldorfpädagogik den bewußten Verzicht auf die allzu beherrschende Planung des Erziehungsprozesses durch Lehrpläne, Stoffverteilungspläne, Curricula, Lehrbücher u.a. Sie wendet sich damit gegen die beherrschenden Merkmale der öffentlichen Schulen, deren Aufgaben jedoch ganz anders zu verstehen sind (Berechtigungssystem, Gleichheitsgrundsatz, Vergleichbarkeitsprinzip, Dienstleistungsgedanke am Aufbau und an der Ausbildung einer demokratischen Industrie- und Leistungsgesellschaft). In der Waldorfschule wird keine „Theorie ‚angewandt', da irritiert keine Reflexion ..., da wird nicht wiederholt, was schon da war"[11], sondern da steht die Erwartung im Vordergrund, daß der pädagogischen Situation etwas Neues entspringt oft gegen jede Planung und Intention (vgl. „fruchtbarer Moment").
Diese Darlegung trifft sich scheinbar mit den Feststellungen der hermeneutischen Erziehungswissenschaft bezüglich der „unsteten Formen der Erziehung"[12]. Der pädagogische Enthusiasmus der Jahre nach dem Zusammenbruch des Kaiserreiches 1918 vertraute auf die schöpferischen Kräfte im Menschen, die, gerade weil sie sich der Planung entziehen, Großartiges hervorbringen. Es hat jedoch den Anschein, als habe dieser Gedanke in der Waldorfpädagogik durch den beherrschenden Einfluß der Anthroposophie nicht zu jener Reife geführt, wie sie unter dem Einfluß der Existenzphilosophie durch O. Fr. Bollnow hervorgebracht wurde. Weder eine Psychologie der Krise noch eine Methodologie der Bewegung, noch schließlich eine Philosophie des Wagnisses und des Scheiterns haben bei den Waldorfpädagogen Einlaß gefunden.

[11] Ebd. 26.
[12] Vgl. Bollnow, Otto Friedrich, Existenzphilosophie und Pädagogik, Stuttgart 1959.

Neben der beherrschenden Entwicklungspädagogik konnte sich keine Entscheigungspädagogik mehr entwickeln. Die waldorfpädagogische Erziehungslehre erscheint deshalb stellenweise verplanter und organisierter als es die hermeneutische Geisteswissenschaft für das erzieherische Handeln vermittelte. Während die reformpädagogisch-hermeneutischen Impulse im öffentlichen Schulwesen aber weitgehend verkümmerten, bewahrte sich die Waldorfpädagogik trotzdem wenigstens diese fruchtbare Spannung zwischen Planung und Spontanität.

Der „Erziehungskünstler" und der pädagogische Bezug

Das Geheimnis „mancher überraschender Erziehungserfolge (der Waldorfpädagogik) liegt gewiß nicht in den oft abstrusen pädagogischen Methoden", sagte bereits Heinrich Rechtmann[13], „sondern wohl in der außerordentlichen menschlichen Intensität des Verhältnisses von Erziehern und Zöglingen, das oft von geradezu seelsorgerischer Hingabe und religiöser Ergriffenheit erfüllt ist". Das ist vielleicht überspitzt formuliert, aber es trifft den Kern. Die Waldorfschulen sind keine Mammutschulen, deren Größenwuchs jedes personale Verhältnis im Keime ersticken könnte; denn sie wollen ganz im Sinne der Reformpädagogik den pädagogischen Bezug möglichst intim gestalten. Auch die Jena-Plan-Schule sollte übrigens eine bestimmte Zahl, hier 500 Schüler, nicht überschreiten. – Wie sollte ein so intensiver Austausch zwischen den verborgenen Wesensschichten des Lehrers und Schülers anders möglich sein, als durch eine fast absolute (missionarische) Aufopferung des Erziehers für das Kind? Nicht wenige Waldorflehrer oder ihre Ehen zerbrechen an diesem Totalanspruch.
Entgegen allen Anfeindungen einiger sogenannter moderner Pädagogen[14], welche sich bemühen, der diesbezüglichen Resignation der Staatsschulen sogar eine Theorie zu unterschieben, weil durch den „pädagogischen Bezug" das Kind in zu bestimmende

[13] Rechtmann, Heinrich J., Geschichte der Pädagogik, Nürnberg 1955, 358.
[14] Es begann mit: Gamm, Hans-Jochen, Kritische Schule. Eine Streitschrift für die Emanzipation von Lehrern und Schülern, München 1970, und endete sicher noch nicht in der sogn. Antipädagogik.

Abhängigkeit vom Erzieher geriete, bin ich der Auffassung, daß Martin Buber mit seiner epochalen „Rede über Erziehung" (1920) recht hatte, als er dieses pädagogische Verhältnis als eine Umfassungsaufgabe und Umfassungserfahrung beschrieb, in welcher der Erzieher an beiden, der Zögling aber nur an einem Ende der Situation steht. Hier ereignete sich gerade erst die Freisetzung des Zöglings zur Freiheit für sich selbst und für ein Du, in welcher letzteren sich das wahrhaft Einander-Umfassen der Menschenseele ereignet[15].

Aber auch an dieser Stelle habe ich den Eindruck, daß sich die Vorstellung vom Erzieher-Zögling-Verhältnis in der Waldorfpädagogik nicht über den forschen Geist der 20er-Jahre hinaus entwickelt hat. Bis zum achten Schuljahr bleibt das Kind an ein und denselben Klassenlehrer gebunden, der die wesentlichen Inhalte zu vermitteln hat. Erst im 14. Lebensjahr wird das Verhältnis dialogischer und erreicht die Dimension des zugleich von Verselbständigung, Beziehung und Vergegenwärtigung im Sinne Bubers „Urdistanz und Beziehung" also erst im Ablauf der letzten zwei Schuljahre. Das Kind ist m.E. jedem Erzieher als Rätsel aufgegeben. Für Waldorfpädagogen aber hat oftmals Rudolf Steiner alle Rätsel irgendwie enträtselt (man muß ihn nur „richtig" verstehen), und deshalb wird diese Beziehung erst mit dem 14. Lebensjahr zunehmend rational begründet, also dialogisch wirksam.

Vielleicht darf die akademische und öffentliche Erziehungswissenschaft einige Fragen stellen, deren Beantwortung bislang nicht gelang, bzw. die sich aus den bisherigen Gedanken ergeben haben. Diese Fragen sind sicher erweiterungsfähig, und das Gespräch zwischen Waldorfpädagogik und Erziehungswissenschaft ist ja auch ernsthaft erst in unseren Jahren begonnen worden.[16]

[15] Buber, Martin, Reden über Erziehung, Heidelberg 1962, 43. Vgl. auch ders., Urdistanz und Erziehung, Heidelberg ²1960. Die dialogische Pädagogik hat ihre Wurzeln in den Jahren 1913–1923: Buber, Martin, Daniel (1913); Ich und Du (1923); Rosenzweig, Franz, Urzelle (1917); Stern der Erlösung (1921).

[16] Vgl. Hansmann, Otto (Hg.), Pro und Contra Waldorfpädagogik, Würzburg 1987; Krems, Gerhard, (Hg.), Waldorfpädagogik. Selbstdarstellung, Zustimmung, Kritik, Schwerte 1987 (mit Beiträgen von J. Kiersch, P. Schneider, P. Paulig, K. Prange, F. Rest).

e) Ist Waldorfpädagogik antimodernistisch?

Vergleicht man die Selbstdarstellung der Waldorfpädagogik in öffentlichen Verlagen mit denen in anthroposophischen Verlagen, so kann man sich des Eindrucks nicht erwehren, daß man sich nach außen fortschrittlicher, d. h. den Anforderungen und Problemen des 20. Jahrhunderts offener darstellt, nach innen dagegen traditionalistisch, konservativ. In einer Aufzählung von Texten für den Deutschunterricht[17] z. B. findet man Goethe, Dante, Wolfram von Eschenbach, Hartmann von Aue u. a., sucht aber vergeblich nach Werken unserer Zeit wie Sartre, Beckett, Grass, Böll, Handke, Rühmkorf, die Brüder Thomas und Heinrich Mann u. a. Bekannt geworden ist auch die Abwehr der Waldorfpädagogik gegen verschiedene Unterrichtsmedien, gegen die modernen Werkstoffe (Plastik, Polyester etc.) und gegen die moderne Musik, die alle erst in späten Schuljahren Verwendung finden dürfen (etwa ab der 10. Klasse), falls überhaupt. Neben der berechtigten Skepsis gegenüber den entfremdenden Erscheinungen moderner Industriegesellschaften (Computer, Video etc.) ist mir kein stichhaltiges Argument begegnet, das z. B. die Besprechung und Erfahrung des Jazz, der Zwölftonmusik und der elektronischen Musik (z. B. von Stockhausen) in früheren Klassen verbietet. Die Werke der Moderne sind ja keinesfalls schwerer oder anspruchsvoller als Mozart oder Bach; sie sind nur eben ein Ausdruck unserer Zeit. Schwierigkeiten bereiten offensichtlich auch die Sexualerziehung und die politische Bildung den Waldorfschulen. Deshalb ist m. E. die Frage nach antimodernistischen Ängsten und Trends mehr als berechtigt. Waldorfpädagogik ist sehr traditionsbewußt; sie stämmt sich damit jeder Gegenwartseuphorie entgegen.[18] Es könnte allerdings sein, daß nicht Historie, sondern Geschichtlichkeit sie prägte; aber im Hintergrund steht unverbrüchlich die Reinkarnationslehre Rudolf Steiners; und sogar ohne diese hat es manchmal den Anschein, als sei die Waldorfpädagogik durchaus

[17] Kiersch, aaO., 31.

[18] Sie leistet damit dem Faschismus Vorschub, wie ihn Ernst Bloch äußerte: Erbschaft der Zeit (1934). Frankfurt/M. 1962, 188 ff.

an einer anderen, ungewöhnlichen Form der Verlebendigung von Geschichte interessiert. So auch in der Musikerziehung, in welcher durch die Rückführung auf geschichtliche Klangfarben ein besseres Verständnis versucht wird; denn nach Auffassung der Waldorfpädagogik durchläuft ja jeder Mensch in seiner Entwicklung gewissermaßen die Geschichte des Menschengeschlechtes. Ist die Gefahr einer Entfremdung von der eigenen Zeitgeschichte damit behoben?

f) In welchem Verhältnis steht die Waldorfpädagogik zur Zeit und zur Zukunft?

Wenn als die entscheidenden Konstitutiva der Waldorfpädagogik das pädagogische Grundverhältnis, die Psychosomatik und die Entwicklungslehre nach Jahrsiebten angesehen werden, wo bleibt da die Dimension einer Erziehung „allgemein fortschreitender Koalition in eine weltbürgerliche Gesellschaft“ (Immanuel Kant), einer Erziehung nicht der allseitigen Entfaltung individuell verfügbarer Talente allein, sondern für einen zukünftig besseren Zustand unserer Welt? Die Waldorfpädagogik ist auf den in Vergangenem erstickten Augenblick bezogen, aus dem die versteckten Potentialitäten des sinnlichen und wahrnehmenden Wesens, der Ästhetik erzogen werden; aber dieser Augenblick wird m. E. nicht als Antizipation des besseren Weltzustandes erfahren, wie Ernst Bloch[19] es begreift. Die sogenannte Dreigliederungslehre Rudolf Steiners, als deren Frucht die Waldorfpädagogik sich selbst versteht[20], enthält keine wirkliche Gesellschaftsprognostik, keinen Ansatz gesellschaftsverändernder Aktion, sondern nur ein Gegenmodell zur Erklärung und Gestaltungsanregung zwecks Versöhnung mit dem Bestehenden. Daß trotzdem in den oberen Schulklassen ein gesellschaftliches Interesse und Wollen unbestreitbar vorhanden ist, widerspricht dem nicht und dürfte andere

[19] Das erste Hauptwerk Ernst Blochs, „Geist der Utopie“, erschien übrigens auch 1918, also zeitgleich mit dem Gründungsgedanken der Waldorfpädagogik.
[20] Vgl. Lindenau, Christof, Soziale Dreigliederung. Der Weg zu einer lernenden Gesellschaft, Stuttgart 1983.

Ursachen haben. Diesen Schülern eignet ein wacher Sinn für Zukünftiges, allerdings oft mit recht kulturpessimistischen Zügen.

g) Wie verhält sich die Waldorfpädagogik zur modernen Sozialisationsforschung, speziell Schichtensoziologie, und zur soziokulturellen Entwicklungslehre?

Der Weg auf die pädagogische Insel einer ganzheitlich strukturierten anthroposophischen Erziehungswelt in Elternhaus, Schule und Gruppe kann doch nicht die einzige Antwort auf die wissenschaftliche Fragestellung sein, daß Individualität und Selbstbewußtsein Produkte des Interaktionsprozesses mit der umgebenden Welt sind, aus der die Rollen, Werte, Normen und Positionen übernommen werden. Es ist höchst löblich und doch zugleich zu wenig, was die Waldorfschulen mit ihren Eltern tun, oder was die Anthroposophie auf medizinischem, ökologischem und architektonisch-künstlerischem Gebiete schafft. Es kann nicht hinreichen angesichts der „babylonischen" Sprachverwirrung im Alltag wie in der Wissenschaft, ganz zu schweigen von den eigentlichen Problemen unserer Zeit, der Armut, dem Hunger, der Entrechtung, der Untergrabung politischer Freiheiten und der Menschenrechte. Erzwungene und selbstgewählte Gettos haben schon häufiger zu Haß und Unterdrückung geführt.
So ist die Sozialisationsforschung ein zentrales Problem der Weiterentwicklung für die Lehrerfortbildung in der Waldorfpädagogik; allerdings wird sie (teilweise mit Recht) oft noch als zu praxisfern empfunden. Das unzweifelhafte Getto, in dem sich die Waldorfpädagogik jedoch befindet, ist sowohl selbst gewählt als auch durch die Umstände erzwungen. Waldorfschulähnliche Ersatzschulen ohne Anthroposophie als Arbeiterschule oder besser noch als Menschheitsschule wären ein denkbares und wünschbares aber kaum realisierbares, weil in sich un-„denk"-bares Experiment. Zuerst aber müßte die Waldorfpädagogik sicher entschiedene Abstriche von ihrer einseitigen Kulturbeflissenheit nach rückwärts machen. Dann wären wohl noch interessantere Aufschlüsse über die tatsächliche Wirksamkeit dieser Erziehung

(nicht nur auf der Insel, sondern auch auf dem Festland) zu gewinnen.

h) Wie hält es die Waldorfpädagogik mit dem methodischen Zweifel und der methodischen Kritik?

Die Abqualifizierung des Zweifels und der Kritik eines Schülers vor dem 14. Lebensjahr, der Entscheidung gegen Nachfolge und Autorität, sollten entgegen der eigenen Theorie an einer Waldorfschule ausgeschlossen sein. Der Waldorfschüler soll ja „seine Wahrnehmungskraft schulen, seine zwölf Sinne gebrauchen lernen, seine Denkkraft in der ganzen Fülle ihrer Möglichkeiten auszubilden"[21]. Dies aber soll ohne die „endgültig erklärende" Abstraktion, ohne das Zurückführen komplizierter Sachverhalte auf Formeln und Modelle vonstatten gehen. Hier stellt sich mir die Frage, wie die Waldorfpädagogik den Erfordernissen unserer Zeit nach kritisch-rationaler Emanzipation im Sinne der intersubjektiv nachprüfbaren Analyse der Bedingungen von Rationalität zur Befreiung des Subjekts von den Bedingungen, die seine gesellschaftlichen Handlungsräume hindern, schon im frühen Kindesalter gerecht werden kann. Oder will sie das gar nicht? Kritiker sind ja nirgends erfolgreich oder wünschenswert. Kritik besteht aber nicht aus Kritisieren um jeden Preis, sondern im verbalen Ausdruck erlangter Urteilsfähigkeit, d.h. der Fähigkeit, sich der Kritik auch zu enthalten, solange das Urteil nicht ausgereift ist. Kinder wissen in vielen Dingen mehr als ihre ach so klugen Erzieher, und ihre Urteile sind oftmals sicherer als die unseren. Die Waldorfpädagogik steht abweichenden Meinungen offen gegenüber, allerdings nicht im Klassenzimmer, und wenn die Tonart dem klanglichen Anliegen entspricht. Vielleicht ist ihre Enthaltsamkeit gegenüber vorschneller Modellanwendung auch ein mahnendes Beispiel, weil unsere Modelle zu oft bereits Urteile enthalten?

Der Lehrer „sei ein Mensch der Initiative im großen und kleinen Ganzen, der Interesse hat für *alles* (Hervorhebung vom Verf.) welt-

[21] Kiersch, aaO., 32.

liche und menschliche Sein, der keinen Kompromiß schließt mit dem Unwahren", sagt Rudolf Steiner[22]. Dieser Anspruch der Waldorfpädagogik ist hoch und enthält viel Berechtigtes; aber um den Erfordernissen der Zeit gerecht zu werden, muß sie bereit sein, sich weiterzuentwickeln, Ballast abzuwerfen, sich kritisieren zu lassen, zuzuhören, Bescheidenheit zu üben, Absolutheitsansprüche abzulegen. Dann könnte sie eine echte Alternative im Schulsystem der Bundesrepublik darstellen und als Ferment für jegliche Pädagogik dienen.

[22] Steiner, Rudolf, Erziehungskunst, Freiburg 1948, 241 f.

IV. Kapitel: Christliches Erziehen im Gegenüber zur Waldorferziehung

1. Anthroposophie und Christentum – Gewißheit und Wagnis – Geistliche Grundlagen für das erzieherische Selbstverstehen –

Erziehung sollte aus einer geistlich-spirituellen Grundhaltung des Erziehenden heraus erfolgen; das sei unumstritten! Für die christlichen Fermente dieser Grundlage aber gibt es keine Gewißheiten, es sei denn die des Wagnisses, auf das wir uns mit Gott einlassen und dieser sich mit uns. Die versprochenen Sicherheiten des anthroposophischen Schulungsweges scheinen dieser Voraussetzung zu widersprechen. In meinen vorangegangenen Veröffentlichungen, die ich hier nicht wiederholen kann und will, wurde diese Spannung dargestellt. In den theologischen Abhandlungen habe ich z.B. versucht, die Irrlehre von Kolossä (Kolosserbrief, 2. Kapitel) zu rekonstruieren; nicht um damit die Anthroposophie als eine Wiederauflage dieser Irrlehre zu entlarven, sondern um uns an den Kern paulinischer Botschaft zu gemahnen und von diesem Kerygma aus das Gespräch zu suchen: Denn, so sagte ich damals, „sollten Denker unserer Tage auftreten, die das ‚solus Christus' bekennen, anerkennen, daß wer Christus bekennt, keine weiteren Offenbarungen und Erkenntnisse mehr braucht, – und dadurch bzw. trotzdem Kritik üben an der zeitlichen Kirche, andere Wege des Lebens und Denken in irdischen Dingen beschreiten als wir usw., so sollten und müssen wir wohl demütig lauschen und ganz stille werden, damit wir keinen Freund und Weggenossen verlieren". Ob Anthroposophen und Waldorflehrer dieser Einladung folgen können und was sie dabei an Ballast ihres Gründers über Bord werfen müssen, das müssen sie selbst entscheiden, und nur sie können es; wir können es ihnen nicht abnehmen, wir können sie allenfalls „aufmerksam machen".

In einer Interpretation des 13. Kapitels des Korintherbriefes habe ich versucht, der unverstellten Liebe auf die Spur zu kommen, als

einer Liebe der Erkenntnis, des sich immer und überall Erkannt-wissens durch diesen liebenden Gott. Wir erkennen in dieser Liebe uns, wie Gott uns erkannt hat, nicht wie Rudolf Steiner es formulierte, „wie wir selber sind". Diese Liebe zwingt uns zur Demut, nicht zum Stolz; sie ist die Grundlage für unsere immer wieder geforderte Entscheidung zu Gott. Eine Entwicklung oder gar Pädagogik, mit der wir aus eigener Kraft den Kinderschuhen und dem Kinderglauben entwachsen könnten, gibt es nicht. Die Liebe bleibt Geschenk oder doch gebunden an die Bereitschaft, sich beschenken zu lassen.
In meinen pädagogischen Konsequenzen habe ich die drei Kategorien Entscheidung, Dialog und Antizipation in den Mittelpunkt gestellt. Es sind Zeitgenossen Rudolf Steiners (geb. 1861) gewesen, auf die ich mich da berief, auf Janusz Korczak (1878–1942) beispielsweise, der den kindlichen Menschen als immer und überall entscheidungsfähig und -bereit begreift, als einen Menschen, der von sich selbst immer mehr weiß und versteht als alle Erzieher, Lehrer und Entwicklungstheoretiker, der mit seinem Recht auf diesen Augenblick nicht auf ferne Zukünfte orientiert ist oder auf vergangene Unvollkommenheiten, der mit seinem Recht, so sein zu dürfen, wie es gerade ist, das Kind nicht nach dem Bilde eines Erziehungsdenkers umgestalten, sondern grundsätzlich achten, nicht in seinem Noch-Nicht diskriminieren, sondern in seinem Schon-Jetzt akzeptieren will, das Kind, das schließlich in seinem Recht auf den eigenen Tod jederzeit entscheiden darf, ob es dieses Leben nehmen will, wie und wo es ist. Ich habe mich berufen auf Martin Buber (1878–1965) und Franz Rosenzweig (1886–1929), welche die pädagogische Beziehung nicht einseitig vom Erzieher her definieren, sondern zweiseitig, wobei die Urdistanz zum konstitutiven Merkmal des Dialogs wird: Das Kind ist von Anbeginn ein Ich, zu selbständigem Denken und Dialog befähigt; nur der Schutz der Distanz zwischen dem vermeintlich wissenden Erzieher und dem wirklich umfassend wissenden Kind schafft Begegnung. Und ich berief mich auf Ernst Bloch (1885–1977), der uns auf die Fragen und verborgenen Sehnsüchte unserer Kinder verweist, in denen wir die Vollgestalt menschlicher Existenz, gesell-

schaftlicher Wirklichkeit, aber auch die Vollgestalt des Einsseins von Mensch und Gott erahnen, antizipieren. Der Weg der Antizipation ist aber kein Schulungsweg, sondern ein Album voller Blitzlichter des menschlichen Seins, individuell und akthaft. Die Bilder der Enzyklopädie der Sehnsüchte werden gesetzt irgendwann, irgendwo, und getragen von der Ver-antwortung.[1]

Das Verhältnis der Anthroposophie zu Gott und Christus ist, grob eingeschätzt, das einer neo-gnostischen Sekte. Gnosis ist, vereinfacht ausgedrückt, ein Agglomerat philosophischer und kultreligiöser Anschauung mit der Tendenz einer Verweltlichung oder Anthropozentrierung des Christentums. Gnosis ist jede Erlösungsreligion, nach deren Lehre die Erlösung von der Erkenntnis Gottes, des Sinnes und Zwecks der Welt und des eigenen Lebens abhängig gemacht wird, da angeblich nur ein solches Wissen das den Absichten Gottes entsprechende Verhalten und Handeln der Menschen ermöglicht. Die Gnosis setzt ihre Erkenntnis ab von dem Verstandesmäßigen; macht aus ihr aber ein unspezifisch religiös Offenbartes, wobei die Quellen der Offenbarung geheim bleiben.[2] Die Gotteserkenntnis durch den Menschen ist selbst Bewirkerin der Erlösung, sie ist also nicht allein ein Mittel oder Vorbedingung für das Erlösungsgeschehen und Handeln Gottes. Zudem wird auf mythisch-mystischem Wege versucht, die Entfernung zwischen Gott und der Welt, Gott und Mensch, Gut und Böse zu verkleinern. Die gnostischen Bewegungen gibt es bereits im Vorchristlichen, und sie haben im Johannesevangelium vor allem schwer zu deutende Einflüsse gehabt, weshalb die Anthroposophen vielleicht eine besondere johanneische Neigung verspüren, allerdings mit einem großen Hang zur Entstellung der Bindung des Johannes an die personale Erlösungstat Jesu Christi.

[1] Quellen: Rest, Franco, Waldorfpädagogik und christliches Menschenbild, EZW-Information 104, X / 1987 / Rest, Franco, Waldorfpädagogik auf dem Hintergrund eines christlichen Menschenbildes, in: Kath. Akademie Schwerte, Waldorfpädagogik, Schwerte 1987, 53–70.

[2] Vgl. Steiner, Rudolf, Geheimwissenschaft und Karma-Lehre: Aus der Akasha-Chronik (1904 / 1908, Dornach 1973 (5. A.); Die Geheimwissenschaft im Umriß (1910), Dornach 1977 (29. A.); Das esoterische Christentum und die geistige Führung der Menschheit (1911 / 1912, Dornach (3. A.) u. a.

Wieso ist Anthroposophie eine moderne, raffinierte und zugleich so wirksame Gnosis? Sie versucht, wie bereits oben dargestellt wurde, durch angeblich neue Erkenntnisse über den Christus das Göttliche im Menschen zu wecken und mit einem unpersönlich Göttlich-Geistigen im Weltall zu verbinden. Der Weltentwicklung soll ein Impuls vermittelt werden, der seinen höchsten Quellpunkt nicht in der Bibel, sondern in der Akasha-Chronik hat, jener anthroposophischen Anschauung, derer allenfalls der eingeweihte Anthroposoph über Imagination, Inspiration und Intuition teilhaftig wird. Über sieben Stufen soll die Erde einem erlösenden Geisteszustand zugeführt werden.
Demnach ist auch nicht der Glaube des Menschen ein Akt des Vertrauens, also der Weg zum Heil, sondern das Schauen der geistigen Welt. Mit neuen Erkenntniskräften wird der Mensch bemächtigt zur eigen-mächtigen Christusschau; der einzige Weg dazu ist der anthroposophische Erkenntnisweg. Anthroposophie als gnostische Sekte läßt den Eingeweihten sich aus der Gewißheit des Besitzes eines „Neuen Weges" erheben über die anderen geistigen und religiösen Wege. Den christlichen Bekenntnissen wird deshalb in der Waldorfschule allenfalls ein Gastrecht eingeräumt. Letztlich fühlt sich der Anthroposoph bemüßigt, seinen Erkenntnisweg anderen Menschen (und so vor allem auch Kindern) als den einzig zukunftsweisenden vorzuführen und vorzuleben. Allerdings schließt die Anthroposophie nicht aus, daß ein kosmischer Christus dem Menschen noch hilft, die Kräfte seiner Selbsterlösung zu entdecken. Aber der liebende, dem Menschen vorauseilende, die Erlösungstat für ihn dem Vater als Angeld bereits gebende, in der Welt immer und überall gnadenhaft handelnde Christus, die sündenvergebende Liebe Gottes, diese hat die Anthroposophie für sich abgeschafft. Nicht in freier Forschung, sondern in fragwürdiger Unterwerfung unter die Orthodoxie dieser unprüfbaren Akasha-Chronik werden Antworten auf die Welträtsel gesucht.
Solche Gnosis verfehlt die Tiefe und Mitte des biblischen Christentums. Die Freiheit Gottes ist in solcher Anthropozentrik verlorengegangen. Im Rückfall hinter reformatorisches und augusti-

nisches Christentum wird das Heil von der Mitwirkung des Menschen abhängig gemacht. Anthroposophie verfehlt die Botschaft des biblischen Christus; gegen solches Denken stand Paulus bereits auf (1 Kor 13).

Die Erkenntnisfähigkeit des Menschen ist nach Rudof Steiner keine nur intellektuelle, sondern ein Resultat der Ausbildung schlummernder Fähigkeiten im Menschen durch diesen Menschen, so daß ihm Schauungen zuteil werden, die ihm über sich selbst und über die kosmischen Realitäten Aufklärung verschaffen. Demgegenüber gründet das biblisch-christliche Menschenbild zu allererst darauf, daß der Mensch darum weiß, daß Gott ihn *erkannt hat.* Erkennen, das ist vor allem erkennendes Erwählen (Am 3, 2), so daß der Erkennende und der Erkannte sich in einem innigen Bund verpflichtet wissen. Gott ist der wahrhaft Erkennende; und der Mensch versteht sein Ziel darin, sich der Erkenntnis des Erkanntseins durch Gott anzunähern. Erkennen ist auch für den Christen kein nur intellektueller Akt, sondern hier ist es ein Akt der Liebe wie zwischen Mann und Frau (Adam erkannte Eva, sie ward schwanger und gebar), zwischen dem Vater und dem Sohn (Mt 11, 27) und schließlich zwischen Gott und den Menschen. Angesichts der Liebe ist die Gnosis nur Stückwerk; die Erkenntnisfähigkeit des Menschen ist eine Potenz zur Erfassung des Gnadenhandelns Gottes. So wird Gnosis als Erkenntnis zur sophia, zur Weisheit als Gabe des Geistes Gottes. Nicht der Mensch dringt in die unsichtbare Welt vor, sondern diese öffnet sich ihm als einer höheren Stufe des Glaubens durch die Taufe. Die Erkenntnisse des natürlichen Menschen erreichen diese Stufe nicht; sie muß ihm geschenkt werden (1 Kor 2, 6–16). Ein solches an Gottes personalem Handeln orientiertes Menschbild hat Konsequenzen für das christlich-jüdische Verständnis von Erziehung und für die Weltgestaltung.

Im Apostelamt also auch im Amt des Lehrers verbreitet Gott durch den Christen seinen „Duft der Erkenntnis"; der Mensch ist Mittler Gottes, einer, der sich Gott als Werkzeug überläßt. Dadurch kann der Mensch „Duft Christi" werden, jedoch niemals Christus selbst. Die Liebe des Menschen ist bei Steiner eine ethische Pflicht, ohne die jene Selbsterlösung nicht stattfinden kann, jener karmische Ausgleich unmöglich wird, aus welchem der Mensch das Göttlich in sich aufsaugt. Solche Liebe steht unter dem Gesetz des Müssens. Christlich-jüdische Liebe dagegen als Erkenntnisprinzip ist ein Akt des Dankens für jenes Geleibt-Sein, das frei macht; menschliche Liebe ergänzt nicht die göttliche Liebe, sie ist auch von niemandem gefordert, sondern sie ist eine selbstverständliche Folge des Geliebt-Seins durch Gott. So können Christ und Jude das aus der Liebe Getane nicht als ihre Werke oder als Vervollständigung des Heils durch sie selbst beanspruchen. Christ oder Jude, sie werden durch die Liebe erkennen, wie sie erkannt worden sind, nicht aber nach der Formel Steiners „wie sie selber sind".

Steiner nimmt für sich in Anspruch, fortschreitender Offenbarungen über die Bibel hinaus teilhaftig geworden zu sein (Joh 16, 12ff). So löst er denn den in der Liebe gründenden Glauben durch ein "Schauen" des Übersinnlichen ab. So wie Paulus im Damaskuserlebnis den Christus hat schauen können, so bietet angeblich die Anthroposophie heute jenen Erkenntnisweg, der in einem Damaskus-Schauen für jeden[3] mündet. Der Anthroposoph erfährt auf seinem Weg „jedoch die Hilfe des Christus, der als der kosmische Erlöser den Menschen in sich selbst die Kräfte der Selbsterlösung finden lehrt"[4]. Letzthinniger Schriftbeweis für diese Offenbarung liegt eben in der sogenannten Akasha-Chronik verborgen. Auch das *biblische* Ringen des Menschen um seine Existenz im Angesichte Gottes kennt ein „Schauen" von dem leiblichen Sehen Gottes in der Theophanie über die prophetischen Visionen bis zur Mystik und Ekstase. Wenn jedoch biblisch ein leibliches Schauen des Überweltlichen und Geistigen versagt bleibt, und auch mystisches und ekstatisches Schauen nur als Annäherung

[3] Vgl. demgegenüber die Deutung des Damaskuserlebnisses in der Gegenwart. Rest, Franco, Kehrtwendung im Menschenleben. Damaskuserlebnisse in Geschichte und Gegenwart, Freiburg/Br. 1989.

[4] Vgl. ausführlich und bislang nicht widerlegt die Darlegung der Selbsterlösungslehre bei Rudolf Steiner: von Stieglitz, Klaus, Die Christosophie Rudolf Steiners. Voraussetzungen, Inhalt und Grenzen, Witten 1955, 122ff. u.a.

verstanden werden kann, so bleibt für den Menschen eben die unmittelbare Gottesschau unmöglich, es sei denn, Gott entäußert sich ihm (brennender Dornbusch u. a.). Durch den in der Liebe wurzelnden Glauben wird jedoch die Herrlichkeit des Sohnes als dem einzigen Mittler ansichtig „unverhüllt von Herrlichkeit zu Herrlichkeit" (2 Kor 3, 18). Für eine mystisch-ekstatische Gottesschau gibt es im Neuen Testament nirgends eine Stütze; der einzige Weg zur Erkenntnis und Teilhabe Gottes ist diese seine Selbstoffenbarung zuletzt durch seinen Sohn.

Ein Wort aber noch zur Eschatologie bzw. Parusie: Die eschatologische Schau unter Einfluß der individuellen Gottesschau der Verstorbenen in der zukünftigen Welt ist eine unmittelbare Gottesbegegnung, ein Erkennen, Erfassen, Einswerden mit dem Vater. Dies Finden der liebenden Gemeinschaft mit Gott ist nur durch den Tod hindurch oder durch die Parusie, die Wiederkunft des Herrn möglich. Diese dann selige Schau dessen, daß Gott uns mit seinem Blick erfaßt, uns gnädig erwählt, uns liebend zu sich gezogen hat, kann nicht durch Erkenntnisschritte des Menschen herbeigezwungen werden. Es ist ein untauglicher und (im Sinne W. Solowjows) auch „antichristlicher" Versuch, sich mit der Hinauszögerung dieser Parusie zu versöhnen, wenn die Anthroposophie die eschatologische Gotteschau in einen dem Menschen eigenen Erkenntnisweg zu pressen versucht. Wir wissen nichts von dem, was wir einst sehen werden, wenn wir einst Gott ähnlich sein werden (1 Joh 3, 2). Teilhaft zu sein der Herrlichkeit Gottes, das läßt sich nicht aus Gottes Hand entreißen und in einen Erkenntnisweg zwingen, auch nicht, wenn dieser sich nicht als intellektuell oder psychisch, sondern als ekstatisch, visionär, mystisch und esoterisch versteht.

An diesen Grundlagen jüdisch-christlichen Selbstverstehens kann und darf nicht gerüttelt werden, wenn wir uns aufmachen, den pädagogischen Konsequenzen nachzuspüren. Möglicherweise erzieht der Christ seine Kinder nicht anders, aber er versteht sich selbst anders; und das hat Konsequenzen mindestens in den Akzenten seiner Selbstkritik.

Wenn also Christentum und Anthroposophie trotz der Anleihen bei einigen christlichen Begriffen und Theoremen derart weit auseinanderklaffen, darf man sich nicht über Schwierigkeiten wundern, die eine christliche Pädagogik mit der Waldorfpädagogik hat. Die wohl schärfsten Stellungnahmen stammen allerdings aus fundamentalistischen Lagern der christlichen Kirchen. Sie gipfeln im wesentlichen in folgenden Aussagen: Waldorfschulen behaupten, keine Weltanschauungsschulen im Sinne des Grundgesetzes der Bundesrepublik zu sein, arbeiten jedoch auf der Grundlage der Anthroposophie Rudolf Steiners (inhaltlich wie methodisch), die weder mit dem säkularen Verständnis von Erziehung des Grundgesetzes noch mit den überlieferten christlichen Lehrmeinungen vereinbar ist; wegen der Vermischung weltanschaulicher Einflüsse mit zweifellos brauchbaren pädagogischen Ansätzen ist ein Besuch der Waldorfschulen unter Ausklammerung des Weltanschaulichen nur wegen der pädagogischen Vorzüge unmöglich bzw. davon dringend abzuraten; Religionsunterricht hat einen derart geringen Stellenwert in der Waldorfschule, daß von ihm kein Korrektiv zu erwarten ist. Aber kann ein Urteil derart eilig ausfallen? Es gibt zwar aus dieser Richtung definiert unüberbrückbare Widersprüche zwischen der Anthroposophie und den christlichen Kirchen; dazu gehören: Steiners Auffassung, durch eigene okkulte Forschung im geistigen Bereich Aussagen über Christus machen zu können, unabhängig von den Evangelien; sein „fünftes Evangelium"; seine Behauptung, Jesus sei nur die menschliche Hülle, die bei der Taufe den Sonnengeist in sich aufgenommen habe; die Lehre von den zwei Jesusknaben, die sich später okkult vereinigten; die Vorstellung, Christus wirke in der Gegenwart nur als ein Impuls für die Höherentwicklung des Menschen; die Vorstellung von Gottes Gnade als einem Jahrtausende währenden Prozeß der Vergeistigung des Menschen, wobei dem Menschen die Schuld nicht vergeben, sondern von diesem abgearbeitet werden müsse; die Reinkarnationslehre als Lehre von der Wiederverkörperung des geistigen Kerns des Menschen, der also stets sein Leben mit ei-

ner Hypothek früherer Leben beginne; Steiners Lehre von der Erziehung als einer Inkarnationshilfe für den Wesenskern, der sich in Jahrsiebenten höhere Wesensglieder aneignet bis zur Wiedervereinigung mit dem Sonnengeist und das Ganze mit dem Anspruch „objektiver Gültigkeit". Aber das kann doch nicht der Schluß sein, von dem zur Tagesordnung übergegangen wird!
Sehr viel behutsamer urteilen nämlich andere Zeitgenossen, von denen ich nur einen herausstellen möchte. F.J. Wehnes beurteilt zurückhaltend die Waldorferziehung im Gegenüber zu einem christlichen Verständnis.[5] Er stellt zunächst fest, daß die Lehre „jenseits der rational-wissenschaftlichen Denkweise" liege und damit ein sachlich-kritisches Gespräch erschwert sei; allerdings seien Ansätze zu mehr Eigenkritik bei den Anthroposophen erkennbar. Die nahezu sklavische oder totale Abhängigkeit der Waldorfpädagogik von der Anthroposophie sei für viele Eltern jedoch kaum durchschaubar; diese seien vielmehr aus begreiflichen Gründen auf der Suche nach einer pädagogisch geprägten Schule, die sie nach der Abwanderung des pädagogischen Prinzips aus den öffentlichen Schulen nur noch bei den Waldorfschulen vermuten. Waldorfschule werde also als Notlösung und nur äußerst selten wegen ihres Menschenbildes gewählt. Andererseits liege die Waldorfschule jedoch auch „im Trend" von New Age oder Wassermann-Zeitalter, von Remythologisierung und ökologischem Holismus. Die wirkliche Alternative zur oftmals desolaten öffentlichen Schule wäre die pädagogisch bewußte, reformierte Schule. Eine solche Schule würde die Waldorfschule fast erübrigen.[6] Die Waldorfschulen seien aber einer solchen Schule gegenüber doch so etwas wie anthroposophische Ordensschulen; denn Rudolf Steiner sehe die Lehrer als Priester oder Propheten, die „im Auftrag höherer Mächte" stehen, die ein „prophetisches Amt innehaben, die bei den Schülern voraussetzen, daß sie aus vorausgegangenen Leben Positives und Negatives mitbringen"; ja, der „Lehrer steht, wenn

[5] Kritische Aspekte der Waldorfpädagogik, in: Krämer / Scherer / Wehnes, Anthroposophie und Waldorfpädagogik, Annweiler 1987, 165ff.
[6] Vgl. die Überlegungen zur „menschengemäßen Erziehung" im Abschlußkapitel des Buches.

er große kosmische Gefühle hat, in unterirdischer Verbindung mit dem Kind". In der Schulpraxis geschehe nach Rudolf Steiner eine „konsequente Anwendung der Anthroposophie"; sie könne also nur Erziehung zur Anthroposophie sein, auch wenn dies von Anthroposophen immer wieder bestritten werde. Nur geringe Hinweise bei Waldorfpädagogen deuteten darauf, daß es eine Weiterentwicklung über die Unterwerfung unter die Schriften des Gründers hinaus geben könnte.

J. Kiersch z. B., hat es schon gewagt, von „hagiographischer Langeweile anthroposophischer Selbstdarstellung" zu reden und Steiners Pädagogik ausdrücklich eine theoretisch nicht hinreichende Sicherung vorzuwerfen: „Diese bedarf in vielen Einzelfällen einer genaueren anthroposophischen und erziehungstheoretischen Begründung." Wehnes stellt daher der Waldorfpädagogik, als einer Pädagogik der Bewahrung, eine andere Pädagogik der Bewährung gegenüber. Er trifft damit weitgehend den von mir in die Diskussion gebrachten Gegensatz zwischen einer Pädagogik der Entscheidung und der Waldorfpädagogik als einer Pädagogik der Entwicklung.

Vermutlich müssen Christen und ihre Kirchen dazu kommen, sich Anthroposophie und Waldorfpädagogik als Spiegelbilder zu nehmen. Schon Klaus von Stieglitz hatte ja seine Beschäftigung mit der Christosophie Rudolf Steiners darin münden lassen, daß die Aussagen dort die Notwendigkeit bedeuten, „die eigene Rede von Christus auf ihre Richtigkeit und Vollständigkeit hin neu zu überprüfen, wie auch das Ganze der Anthroposophie eine Frage an das kirchliche Handeln und Reden und an die Frömmigkeit des einzelnen bedeuten". Zwar kann also die spiritualisierte naturwissenschaftliche Denkweise Rudolf Steiners eben nur zu einem Christus-Impuls, nicht jedoch zu der in Christus offenbaren Wirklichkeit Gottes durchstoßen, trotzdem kann sie für uns „Stachel im Fleisch" sein. Diesen Ansatz verfolgt auch Adolf Köberle.[7] Er stellt zwar deutlich fest, was uns trennt: die Christolo-

[7] „Anthroposophie und Christengemeinschaft als Frage an die evangelische Theologie und Kirche", EZW-Materialdienst, 3 (1988) 65 ff.

gie, der Gottesbegriff, die Art und Weise, Exegese zu treiben, die Synthese von Gnade und Reinkarnation. Aber er benutzt die Auseinandersetzung mit den Gedanken trotzdem zur Gemahnung an eigene Unzulänglichkeiten, zum Aufruf, die gesetzlichen Verkümmerungen immer wieder zu überwinden, die Natur in die kirchliche Lehre wieder heimzuholen, eine universalistische biblische Gnosis zu stiften, eine neue Auseinandersetzung mit dem Dämonischen in der Welt zu leisten, die Schriften und den Gottesdienst unseren Kindern neu zu erschließen. Das Vorhandensein von Waldorfpädagogik und Anthroposophie nimmt uns also eher in die Pflicht, als daß es uns daraus entließe.

Angesichts dieser Ausführungen könnte es so scheinen, als sei der anthroposophische Erkenntnisweg dem Freiheitsprinzip des Menschen angemessener als die christlich-eschatologische Befreiung in der Gottesschau. Der sich selbst befreiende Mensch erscheint vielen heutigen Denkern befreiter als der von der Freiheit beschenkte Mensch. Vielleicht sind wir schon zu weit von der Realität der Sklaverei entfernt, daß wir den Verkündern der Selbstbefreiung (von Marx über Steiner bis zu Bhagwan oder Sai Baba) eher nachlaufen als uns dem Freiheitsgeschenk zu öffnen für den Tag, an dem es kommt; die Haltung der Bereitschaft und Gewißheit der Liebe ist letztendlich sozialer, menschlicher, universaler als die ipsistische Selbstbefreiung. Wer sich beschenkt weiß mit der Freiheit, der kann lieben: wer seine Befreiung in die eigenen Hände nehmen muß, hat keine Hand mehr frei für selbstloses Lieben und den Händedruck mit seinem Gott. Dieses Verständnis von Liebe könnte unmittelbare Auswirkungen z. B. auf das Lehrer-Schüler-Verhältnis haben: Eine Liebe, die dem Schüler Freiheit läßt zur Teilhabe am Bund mit Gott.

„Wenn ihr in meinen Worten bleibt", sagt Jesus in Joh 8, 31, „so seid ihr wahrhaftig meine Jünger, und ihr werdet erkennen die Wahrheit, und die Wahrheit wird euch machen frei (befreien)". Dieser völlig neuen, vor Christus unbekannten Freiheit, die nichts zu tun hat mit der Diskussion um jene Willensfreiheit, unter welcher der säkulare Mensch so sehr leidet, wird Rudolf Steiner kaum gerecht, indem er den Text in folgender Weise übersetzt:

Und „ihr werdet die Wahrheit *durch Wahrheit* erkennen und *euch frei machen*"[8]. Voraussetzung für christliche Freiheit und Befreiung ist der Glaube an Jesus Christus als den Sohn Gottes. „Alldieweil der Sohn euch befreien wird, werdet ihr wahrhaft frei sein" (Joh 8, 36). Diese schon jetzt von den Menschen erworbene, jedoch noch nicht von ihnen subjektiv angeeignete Freiheit der Kinder Gottes bezieht sich auf vielfältige Lebensgebiete der menschlichen Existenz: auf die Freiheit von der Sünde, die Freiheit vom ewigen und „zweiten" Tod, die Freiheit von der Herrschaft des Fleisches, vom alten Gesetz. Sie erfaßt aber vor allem die Freiheit des Menschen *zu* Gott, *zu* seiner Erlösungsgabe und *zu* ewigem Leben. Gerade weil der Christ „Sklave Christi" bleibt, ist er ein „Freigelassener des Herrn" (1 Kor 7, 22). Das ist keine Freiheit, losgelassen zur anthroposophischen Selbsterlösung des Menschen, sondern dialektischer und dialogischer eine „dienende Freiheit", ein „vollkommenes Gesetz der Freiheit" (Jak 1, 25), also eine Freiheit der Liebe, und nicht wie bei Steiner, eine Freiheit von der vergebenden Liebe Gottes hin zur freien Tatherrschaft für den Ausgleich der karmischen Verfehlungen. Steiner will die Freiheit der Selbsterlösung von der Sündenschuld, indem er „energisch, empört" den Gedanken zurückweist, „der Mensch könne durch Jesus Christus in seiner gesamten sündigen Existenz Vergebung erfahren"[9]. Übrigens hätten diese Kritiken Rudolf Steiner selbst nicht verborgen bleiben müssen, da sie ihm von den bedeutendsten Theologen seiner Zeit vorformuliert wurden, von R. Bultmann, Friedr. Gogarten, Paul Tillich u. a.

Die Botschaft der biblischen Schöpfungsgeschichte für das Freiheitsbild des Menschen steht im Widerspruch zur anthroposophischen Deutung. Denn diese hat offenbar ein anderes jüdisches Fundament (AT). Für Steiner ist alles in der Absolutheit des Christusereignisses verborgen. Gegen alle religionswissenschaftlichen Erkenntnisse sind die alttestamentlichen Aussagen für ihn nur Ausdrücke des hintergründigen Wirkens des präexistenten Chri-

[8] In: Die Mysterien des Geistes, des Sohnes und des Vaters.
[9] Vgl. dazu Stieglitz, aaO., 131.

stus. Das Alte Testament ist für Steiner der Bericht von der Verstofflichung des Sonnengeistes Christus, von der Verdunkelung des Göttlichen und der Absonderung des Menschen von ihm. Dieser Vorgang der Verstofflichung des Christus dient letztlich im Entwicklungsgesetz des Geistes dazu, daß in der Zeitenmitte sich dieser Christusgeist in Jesus inkarniert, sich mit der Erde als „Erdgeist“ verbindet (ausströmt auf Golgatha) und damit den Weg der Erde und des Menschen in die Äthersphäre bereitet.[10]

Im Mittelpunkt der *biblischen Botschaft* steht aber der frei von Gott erschaffene Mensch; obwohl der Mensch durch seinen Ungehorsam den Tod verdient hat, beginnt mit der Gottesstrafe über den schuldigen Menschen, die ihm das irdische Leben eröffnet, die Heilsgeschichte; das Leben geht unverdient weiter, Gott redet mit diesem Sünder, er macht Eva zur Mutter des Lebens. Die Unmittelbarkeit Gottes mit dem Menschen ist durch den freien Akt des Menschen dahin. Und an diesem Freiheitsbegriff ändert auch die Korrumpiertheit mancher kirchlicher Institutionen durch Machtinteressen nichts.

Für Steiner war der Sündenfall Teil eines Prozesses, den Gott so geplant und mit den luziferischen Mächten vereinbart hatte; im Mittelpunkt steht Luzifer, durch welchen der Mensch zur Freiheit aufrückt; seine Verbundenheit mit der geistigen Welt büßt der Mensch zwar ein, aber er gewinnt ein Verhältnis zur physischen Welt; die Gottheit wendet den Sündenfall zum Guten, denn es geschieht ja letztendlich sein Wille. Steiner leugnet also die grundsätzliche Freiheit des Menschen als eines einzelnen im Gegenüber zu Gott; für ihn ist des Menschen Ungehorsam von Gott geplant. Das ist konstitutiv für das Menschenbild auch der Pädagogik. Aber gerade weil der Adam die Schuld der Eva und der Schlange aufhalsen wollte, welche ja von Gott geschaffen wurden, deshalb verflucht Gott die Schlange und weist den Menschen auf seine

[10] Daß damit auch ein gewisser Antijudaismus verbunden ist, sei nur am Rande vermerkt. Der Erzengel Michael geht deshalb z. B. als Beschützer von Israel zum deutschen Volke über. Zu den Schwierigkeiten der Waldorfschulen bei der Lossagung vom Nationalsozialismus vgl. Leschinsky, Achim, Waldorfschulen im Nationalsozialismus, in: Neue Sammlung 3 (1983) 255–283.

Freiheit zurück. Die Gottesferne des Menschen ist nicht wie bei Steiner eine gottgewollte Zwischenstufe für die Entwicklung des noch nicht ichhaft, selbstbewußten Menschen, sondern eine verantwortliche Tat des freien Menschen.

Bereits auf dieser Grundlage[11] hat Steiner das *Menschenbild der Bibel verlassen.* Deshalb muß er das einheitlich, ganzheitliche Menschenbild der Bibel auch als Leugnung der geistigen Welt auslegen, denn die von ihm herbeidefinierte Geistigkeit des Menschenwesens ist ja Organ der Selbsterlösung. Weder die Bibel noch auch darin Paulus, den Steiner immer wieder für sich auszulegen versucht, haben eine explizite Anthropologie. Und deshalb wittert er Gefahr z. B. von der Entscheidung des achten ökumenischen Konzils von Konstantinopel, das die Lehre des Photius (und damit implizit Steiners) zurückweist, nur eine Seele des Menschen habe gesündigt, die andere, die Vernunft, aber sei Teil des Gottesgeistes geblieben. Der Mensch bleibt, wie er frei verantwortlich Gottes Gebote übertrat, durch die Geschichte hindurch ein ganzer, ein einzelner, ein einzelner im Gegenüber zu seinem liebenden Gott.[12]

Anthroposophie, Theosophie und Christosophie Rudolf Steiners versuchen also Antworten auf philosophische Fragen zu geben, außerhalb biblischer Theologie und des biblischen Menschenbildes. Der Sieg des in bestimmter Weise definierten Geistigen über das ebenfalls zuvor definierte Stoffliche, der Gang der Verstofflichung vor oder zurück zur Vergeistigung (zentrale Themen der Anthroposophie) sind nicht zentrale Themen des biblischen Glaubens und des biblisch-christlichen Menschenbildes. Menschengeschichte als Heilsgeschichte ist mit diesen Kategorien nicht faßbar. Für sie ist die Realität der Ideen und Geisterwelt im Gegenüber zur Welt der Erscheinungen kein Thema. Wenn Steiners Sicht von der Einheit der Ideenwelt mit Stoff und Materie den außerweltlichen Gott eliminiert hat, so kann er dafür den biblischen Glauben nicht beanspruchen; und ebensowenig für den Er

[11] Vgl. Stieglitz, aaO., 196f.

[12] Im Gegensatz zum Einzigen Max Stirners. Vgl. Steiner, Rudolph, Beiträge in „Das Magazin für Literatur“, 1898, 625ff.

kenntnisweg, auf welchem der Mensch fortschreitend sich erlebend in ein Verhältnis zum Weltengeist über die Natur erhebt. Das Zauberwort „Entwicklung des Menschen", mit dem Steiner sich viele verschlossene Türen zu öffenen anschickt, hat kein Echo im biblischen Glauben und also im christlichen Menschenbild. Vielleicht kann es eine Verwandtschaft geben zwischen Anthroposophie und christlichem Glauben; und doch leben sie nicht in der gleichen Familie.

Im folgenden möchte ich nunmehr ohne Rückverweis auf Steiner, von dem also keine Hilfe beim Verstehen des Biblisch-Christlichen zu erwarten ist, einige ergänzende Streiflichter auf das biblisch-christliche Menschenbild werfen, welches zur Grundlage eines christlichen Erziehungsverständnisses gehört.[13] Im Grunde haben Theologie und biblischer Glaube gar keine Lehre vom Menschen, so daß sie ihm das Umfassende, Unbegrenzte, Unermeßliche, das Geheimnis nicht zerstören können, indem sie ihn als Gegenstand einer Lehre begrenzen und also fassen würden. Eigentlich gibt es nur eine, alle anderen Aussagen in sich schließende, biblisch-christlich-jüdische Menschenkunde, die da sagt: „daß der Mensch der offene, bedürftige Partner absoluter Nähe zu Gott, dem unbegreiflichen Geheimnis, ist und darum selbst nicht endgültig ausgesagt und von den anderen Wissenschaften umgriffen werden kann." (Rahner / Vorgrimler). Des Menschen Abhängigkeit und Herkünftigkeit von Gott, die zu sich selbst kommt, macht ihn zur Geistperson, die wiederum dialogisch ansprechbar ist von Gott.

Trotzdem können wir an vier Zentralaussagen festhalten: Der Mensch ist ein Ganzes. Er ist Repräsentant Gottes in der irdischen Welt (Gotteskindschaft). Er ist das einzige personale Wesen gegenüber dem Tier; sein „humanum" umfaßt alle Menschenwesen und handelt auf einzigartige Weise in der Welt (Mitmenschlichkeit). Und er ist auf dem Weg zu jenem ihm geschenkten Heilszustand, den er Erlösung nennt (christliche Wiedergeburt).

[13] Vgl. ausführlicher meine Darstellung in „Jenseits von Waldorf und Wassermann", Dortmund 1987, 81ff.

Die Dreigliedrigkeit von Leib – Seele – Geist ist dem biblischen Denken fremd; vielmehr sind die geistlichen, geistigen, seelischen, sensitiven, vegetativen usw. Lebensäußerungen des Menschen nur verschiedene Äußerungen seiner ganzen Wesenheit. Dabei ist der Mensch jedoch auf Gott hin angelegt. Gerade diese Gottgerichtetheit macht seine Ganzheit aus, denn Gott ist nicht Partner eines Gehirns, einer Seele, eines Geistes, sondern eines Menschen, den er bei seinem Namen gerufen hat. Das Zwiegespräch, der Zwiegesang (Franz Rosenzweig) mit seinem Gott sind Inbegriff seines Daseins in der Gleichwesentlichkeit von Mann und Frau, Erwachsenem und Kind. Ebenbildlichkeit ist Aufruf zur Gemeinschaft. Gemeinschaft aber mit Gott erreicht der Mensch durch die Gemeinschaft mit den Mitmenschen, denn in jedem Gegenüber sieht er den „anderen Christus". Getrieben von der Sehnsucht nach der Einheit handelt der Mensch am Menschen, also auch in der Pädagogik. In seinem Handeln ist der Mensch Teil des Heilsgeschehens und der Hoffnung der ganzen Welt, die sich in der Neuschöpfung und Wiedergeburt erfüllt. Joh 2, 3-8: „Wahrlich, wahrlich ich sage dir: Wenn einer nicht geboren wird von oben, kann er das Reich Gottes nicht schauen ... Wenn einer nicht geboren wird aus dem Wasser und dem Geist, kann er nicht eingehen in das Reich Gottes." Diese Wiedergeburt steht außerhalb der Macht des Menschen und gerade deshalb verleiht sie die Schau des Gottesreiches. Sie steht im Gegensatz zu jeder natürlichen Geburt; sie ist vermittelt durch die Taufe, eine Heilstat Gottes ohne die Mitwirkung des Menschen. Aber sie begründet ein wirklich neues Sein: „Darum erkennt die Welt uns nicht, weil sie ihn nicht erkannt hat" (1 Joh 3, 1).

3. Religiöse Erziehung in der Waldorfschule

Rudolf Steiner begann 1919 die Bestimmung des Standortes religiöser Unterweisung innerhalb der Waldorfschule mit einer Abgrenzung bzw. Beschimpfung der religiösen Bekenntnisse: „Wir werden wieder gutmachen lernen, was namentlich die religiösen Bekenntnisse seit dem Beginn der neueren Zeit an der Menschheit verschuldet haben. Diese religiösen Bekenntnisse, die nirgends darauf gesehen haben, daß der Mensch sich möglichst frei entwickele, haben ... den Materialismus großgezogen." Dann spricht er vom religiösen Unterricht als Pflegestätte des Materialismus, von seinen Inhalten als „Substrat von sentimentalen Redensarten und Phrasen", von Kanzelkultur, von Kulturfeindlichkeit der Religionsgemeinschaften usw.[14] Dem setzt er dann eine eigentümliche religionspädagogische Konstellation gegenüber, bestehend aus einem Kompromiß zu den christlichen Religionsgemeinschaften, die exterritorial in der Waldorfschule tätig werden dürfen, einschließlich der von ihm begründeten Christengemeinschaft, und daneben der freie, anthroposophische Religionsunterricht, welcher im Auftrag der Anthroposophischen Gesellschaft gegeben wird und „Anthroposophie in die pädagogische Praxis hineintragen" soll.[15] Eine Folge davon ist z. B., daß er die sogenannten Wochensprüche für kindgemäßer hält als das „Vaterunser" oder das „Credo", weshalb diese vor dem 27. Lebensjahr ohnehin nicht pädagogisch relevant werden sollten. Ihm geht es nahezu ausschließlich um die Vermittlung eines „religiösen Gefühls": Begriff des Lebens; Hinweise auf das Übersinnliche in der Natur; der Mensch im Weltall; das Göttliche im Menschen. Dann geht es um die Schicksalskräfte im Menschenschicksal: Reinkarnation, Karma, Erhebung des Menschen zum Göttlichen, Christusmysterien.[16] Gefühlsmäßige Vertiefung und religiöse Stimmung sollen vor Gedanklichem und Verstehen herrschen bis hin zur gebetsartigen Erhebung.

Der eigentlich für jeglichen Religionsunterricht von der Anthroposophie gewünschte, nach dem erstrebten Untergang der Bekenntnisse dann auch durchzusetzende Aufbau von Religionsunterricht nach den Stufen der Anthroposophie sieht ungefähr fol-

[14] Vgl. 1. und 12. Vortrag der Lehrplan-Vorträge vom Sept., 1919, GA 295. Dornach 1971.

[15] Vgl. 8. Vortrag im Dornacher Weihnachtskurs von 1921/22.

[16] Vgl. ausführlich den Lehrplanentwurf im Vortrag vom 26.9.1919.

gendermaßen aus: Es ist religiös-ästhetischer Gesamtunterricht im Dreischritt; „Natur (Religion) – Seele (Kunst) – Geist (Wissenschaft)“ oder in anthroposophischer Deutung der Trinität auch durch Zuordnung von „Vater – Sohn – Geist“. 1. Stufe: Tun, Wille – Nachahmung, Vorbild (1.–4. Schuljahr), also Legenden, Gedichte, Spruchworte mit dem Ziel der Entwicklung einer Ehrfurcht vor dem, was über uns ist; orientiert am Alten Testament, denn das Neue Testament darf noch keine Rolle spielen. 2. Stufe: Bild, Gefühl – Nachfolge und Autorität (5.–8. Schuljahr), nunmehr die Evangelien mit dem Ziel einer Ehrfurcht vor dem, was neben uns ist; das Heroische im Einsatz von Menschen für Mitmenschen steht im Mittelpunkt und die (pubertäre) Verwandlungskraft, wie sie der Christus einbrachte. 3. Stufe: Einsicht, Gedanke – Nachdenken, Freiheit (9.–12. Schuljahr), also das Ringen um die eigene Sendung mit dem Ziel der Ehrfurcht vor dem, was in uns ist.

Letztlich soll diese Form der religiös-ästhetischen Unterweisung einen Beitrag zur Überwindung der christlichen Konfessionen leisten; und einige Waldorfschulen haben bereits – wenngleich gegen den Widerstand der Mehrheit – versucht, das Ergebnis dieser Entwicklung zur Bekenntnislosigkeit vorwegzunehmen, indem sie den christlichen Kirchen das Gastrecht in der Schule aufkündigten (z.B. Kempten, Allgäu); andere nutzten erfreut die Trennung von Kirche und Staat zur alleinigen Vermittlung des „freien christlichen Religionsunterrichts“, also der anthroposophischen Unterweisung an alle Kinder (z.B. Groß-Britannien, Niederlande). Neben diesen antikirchlichen Charakter gesellt sich aber auch noch ein fataler Antijudaismus. Denn die dem Entwicklungsgesetz folgende Einführung des „Christusimpulses“ dient der Verdeutlichung der Überwindung des alten Bundes; der heroische Christus läßt wie das heutige Kind die niedrigere Entwicklungsstufe seines Judeseins hinter sich und erobert sich die geistige Welt. Nicht die „Heimholung des Jesus Christus ins Judentum“, sondern die Extinktion seiner jüdischen Wurzeln zugunsten einer Ästhetisierung und Vergeistigung gibt den Gang und Rhythmus der religiösen Unterweisung an.

Diese Deutung und Hochrechnung des Selbstverständnisses anthroposophischer Unterweisung soll kein Endurteil oder gar eine Verurteilung darstellen, sondern die Schwierigkeiten akzentuieren, die dem Christlichen „nach Auschwitz“ mit einem anthroposophischen Religionsverständnis im Unterricht entstehen. Die unzweifelhafte Schuld eines christlichen Antijudaismus verträgt keine Perpetuierung durch den Steinerianismus.
Aber wie sollen solche Ideen in der Zukunft bewertet werden? Vielleicht können zwei Prinzipien dafür einen Maßstab bilden, wie sie auch für das erstrebte Gespräch zwischen Anthroposophie und christlichen Kirchen in der Zukunft konstitutiv sein müßten. Das erste „negative“ Prinzip verlangt den Verzicht auf die Karikatur des Gegenüber, mit dem Ziel, die Gloriole des eigenen Selbst(verständnisses) um so mehr erstrahlen zu lassen. Der Hang zur Karikatur zieht sich leider auch durch ein Buch, das angetreten war, die „konfessionelle Kritik“ zu sichten[17]. Dort heißt es u.a.: „Das Christentum hat anscheinend die ihm ursprünglich eignende Gestaltungskraft verloren“; „weder im Falle der Genetik noch der Atomspaltung“ hat die christliche Religion aus sich heraus etwas zu sagen; die Konfessionen haben „Herrschaftsansprüche“, schreiben polemische Schriften und „Traktätchen“; „alle bisher vorgetragenen Einwendungen gegen die Anthroposophie“ sind falsch und verkürzend; positive Beispiele der Nachfolge Christi „hatten stets Schwierigkeiten mit der Amtskirche“; wer Zweifel hegt, ist im Katholizismus und Protestantismus „kein Christ“; diese sind sogar selbst im „Abfall von alten überlieferten Glaubensaussagen“ begriffen und untereinander „zersplittert“. So geht das über viele Seiten. Gegen derartige Zerrbilder soll das eigene „Licht“ erstrahlen. Leider arbeiten kirchliche Stellen nicht selten mit ähnlichen Mitteln[18], mit Falschaussagen, Desinteresse, Fehl-

[17] Schroeder, Hans-Werner, Debus, Michael u.a., Christentum – Anthroposophie – Waldorfschule. Waldorfpädagogik im Umfeld konfessioneller Kritik, Stuttgart 1987, 9ff.

[18] Vgl. Baral, Karl, Anthroposophie. Eine Orientierungshilfe, Neuhausen-Stuttgart 1987. Ferner: AG der Kath. Verbände für Erziehung und Schule, Kath. Kinder in Waldorfschulen? ein Faltblatt, 1987.

informationen, und verstoßen also gegen den wichtigsten Grundsatz für einen Dialog, der christlichen Eltern an Waldorfschulen oder dortigen Religionslehrern Hilfestellung bieten könnte. Verzicht auf Karikatur heißt allerdings nicht auch Verzicht auf Streitkultur, Aufmerksammachen, wechselseitiges Korrigieren, aber Verzicht auf Zufügen von neuen und Wühlen in alten Wunden. Eine kleine Schrift von Michael Debus[19] geht den aufgezeigten Weg etwas subtiler, indem sie den Gegensatz der Quelle Rudolf Steiners fortschreibt, Kirche sei eigentlich eine Entartung der Mysterienströmung im Sinne des „christlich-rosenkreuzerischen Schulungsweges". Im katholischen Kultus sei z. B. die Gemeinde nicht geistig selbständig und frei; der Priester vollziehe „aristokratisch" den Willen der Kirche. Dagegen sei der anthroposophische Kultus in der Christengemeinschaft „Erkenntnisweg der Gemeinde" selbst; jeder werde so Mit-Vollbringer des Erlösungswerks. Das „anthroposophische Credo" sei der einzige Weg, die „unbewußte Christuserfahrung in bewußte Erkenntnis überzuleiten"; sofern Kirche den Anschluß an den mystischen Schulungsweg, wie er von Anthroposophie und Christengemeinschaft angeboten wird, nicht geht, wird sie „ganz verschwinden". Rettung wird ihr aus dem Zusammenwirken der „Geister der Form und der Geister der Persönlichkeit". Debus zitiert seinen Meister Rudolf Steiner ausdrücklich mit dessen Vergottungslehre des Menschen: Wenn man sich zu Jesus hält, der „vergottet" wurde, „dann ist man innerhalb der von ihm gestifteten Gemeinschaft selbst Teilnehmer an der Vergottung; ... was in Jesus vergottet war, ist für seine ganze Gemeinschaft vergottet". Michael Debus ist insofern ein markantes Beispiel für den Verstoß gegen den ersten Grundsatz des Vermeidens von Karikaturen der „Gegenseite" im Dialog.[20] Der Grundsatz sei noch schärfer formuliert: Herrschafts- oder Dominanzansprüche einer Seite über die andere ist antidialogisch.

[19] Debus, Michael, Anthroposophie und die Erneuerung der christlichen Kirche, Stuttgart 1989.
[20] Vgl. Debus, Michael, Anthroposophie – eine neue Offenbarung?, in: Schroeder u. a., aaO., 27–32.

Diesem Negativ-Prinzip sei ein positives entgegenzuhalten: Ich suche die Begegnung mit dem jeweils anderen Selbst zum Überdenken meiner eigenen Schwachheit und Fehler. Dieser Ansatz würde eine ernste Auseinandersetzung mit der christlichen Theologie auf anthroposophischer Seite erfordern zur Besinnung auf die Fehler der Anthroposophie; er würde aber auch eine ernste Auseinandersetzung mit der Anthroposophie verlangen zur Besinnung auf Fehler und Verdrängungen der eigenen Überzeugungen in den christlichen Kirchen. „Es ist immer die dankbarere Aufgabe festzustellen, wo der andere irrt, statt sich einzugestehen, wo es bei einem selbst mangelt und fehlt.“[21] Wer die eigene Schwachheit und die Fehler sieht, der begegnet dem Schrecken und der größten Freude. „Erschrockene Herzen, die unter der eigenen Unzulänglichkeit leiden, haben noch immer die größte Verheißung bei Gott.“

Bernhard Grom[22] geht genau diesen Weg: Nachzeichnung des anthroposophischen Verstehensversuches im Lebenswerk Rudolf Steiners und Formulierung von Rückfragen an die Adresse der Anthroposophie als Impulsgabe für den erstrebten Dialog. Der erste Durchgang zeichnet sich dadurch aus, daß ohne Wertung versucht wird, die anthroposophische Weltanschauung selbst zu Wort kommen zu lassen und überblickhaft abzuhandeln. Besonders treffend sind die ausgewählten Originaltexte. Grom berücksichtigt zudem die innere Entwicklung bei Rudolf Steiner, dessen „Lehre“ sich ja keineswegs als Monolith in die Geistesgeschichte begab. So beschränkt er sich weitgehend darauf, Rudolf Steiner selbst zu referieren, und nicht auf Sekundärliteratur und Epigonen zurückzugreifen. Auf diese Wiese bekommt der Leser / die Leserin ein umfassendes und authentisches Bild von der Anthroposophie. Nach derart sachlich präzisem und unparteilichem Darstellen kommen die „Rückfragen“ erfrischend direkt und ungeschminkt. Es sind gemischte Fragen gestellt an die Anthroposophie, jedoch gespeist aus dem offenen Geständnis der Fragebedürftigkeit all unseres und

[21] Koeberle, Adolf, Anthroposophie und Christengemeinschaft als Frage an die evangelische Theologie und Kirche, in: EZW-Materialdienst 51 (1988) 65–71.
[22] Grom, Bernhard, Anthroposophie und Christentum, München 1989.

also auch des kirchlichen Suchens. Bernhard Grom hat schließlich recht in der Aufforderung, ja dringenden Bitte an die Anthroposophie, Abstand zu nehmen von „wesentlichen Auffassungen Rudolf Steiners", damit endlich der Raum geöffnet wird, aus dem heraus gemeinsame Verantwortung von Christentum und Anthroposophie für eine andere, bessere Welt und vor Gott möglich wird. Und trotzdem fehlt weitgehend doch die Besinnung auf die eigenen Schwächen. Die Rückfragen sind zwar sachlich formuliert ohne apologetischen Unterton und begründet vorgetragen; aber sie betreffen die Schwächen des „Gegen"-Über, nicht die eigenen. „Wo gab es schon einmal ein Christentum, das die Lehre von Karma und Reinkarnation in sich aufgenommen hat?" fragt Andreas Binder[23], und meint damit eine angebliche Schwäche zu benennen. Im Detail diagnostiziert er dann eine Entfernung des Menschen vom Christentum durch Entdeckung seiner aufklärerischen Denkleistungen und durch Entdeckung des eigenen Selbst, einer von Gott und Kirche nicht begrenzten Freiheit; die theologische Schwäche bestehe in der fehlenden Kongruenz zwischen menschlicher Freiheit und Erlösungsbedürftigkeit. Mit dieser Diagnose ist das Osterei versteckt, das dann von der Anthroposophie im Geiste Binders wiedergefunden und ausgebrütet werden kann: „Die Anthroposophie enthält die Elemente eines neuen ‚Paradigmas' von Theologie, welches das Christentum befähigen kann, die epochale Infragestellung seiner Gewißheiten zu überwinden und zum Brennpunkt der Vergewisserung für den inmitten ausgedehntesten Wissens von Sinnlosigkeit bedrohten Geist der Zeit zu werden." So lautet der Missionsimpuls und die angebotene Erlösungslehre für jegliche Theologie mit ihren pauschalen Problemen: Anthroposophie könne zum „Heilmittel" werden für die Krise des Christentums. Dies hebe auch die Trennung von theologischem Kopf und gläubigen Herzen wieder auf; zudem biete die Anthroposophie „ein Ganzes von imponierender Geschlossenheit", während sich die christliche Theologie als heillos

[23] Binder, Andreas, Wie christlich ist die Anthroposophie?, Standortbestimmung aus der Sicht eines evangelischen Theologen, Stuttgart 1989, 11.

zerstritten präsentiere. Der Therapeut aller Krankheiten der Theologie heißt also Rudolf Steiner. Auf dieser Basis ist Binder kaum noch als Beachter des zweiten dialogischen Prinzips zu betrachten, da er vom Dialogpartner verlangt, erst Anthroposoph zu werden, ehe er kritisch fragen darf, weil er dann ja nicht mehr fragen wird. Leider schlägt also in dem ganzen Buch ein belehrendes Sendungsbewußtsein durch. Das wird z. B. deutlich, wenn er in einem einzigen Satz Teilhard de Chardin, die Prozeßtheologie Whiteheads und „Einsichten der Tiefenpsychologie" zur geistigen Verwandtschaft der Anthroposophie erklärt, welche all diese „Strebungen durchaus übertrifft". Schließlich schlägt er vor, die biblischen Quellen nicht so ernst zu nehmen, dafür aber Rudolf Steiner und das ganze Wassermann-Umfeld, welches er freudig als „Belege" benutzt, wo es ihm beliebt von F. Capra bis K. Graf Dürckheim. Was bleibt den katholischen oder evangelischen Eltern und den konfessionellen Religionslehrern an Waldorfschulen, um die pädagogisch Suchenden anzusprechen? Man kann ihnen bislang nur die Bücher von K. von Stieglitz und B. Grom empfehlen. Im übrigen wäre ihnen zu raten: Selbst nicht die Karikatur des Gegenübers in den Schulen und bei Gesprächen zu suchen, sich jedoch auch nicht gefallen zu lassen, daß sich das Selbstverständnis und die Selbstdarstellung des Partners auf einem Zerrbild aufbaut oder alt-neue Verzerrungen perpetuiert; unablässig die eigenen Schwächen zu reflektieren, aber auch die Hilferufe des Partners zu hören, wie strahlend und fehlerfrei er sich auch präsentieren möchte. Diese Prinzipien wären zu ergänzen: Herrschaftsansprüche über den Geist, aber vor allem auch über die „Seelen" und „Herzen" von allen Seiten vehement zurückweisen; die Andersheit des Partners uns zum Ansporn werden lassen, unsere Eigenheit zu hinterfragen; keine Angst haben vor einem ernsten Dialog, bei dem die Partner sich gleichberechtigt als Suchende verstehen; einen Dialog sogar fördern, bei dem die Partner sich selbst definieren können und nicht vom Gegenüber definiert werden; das Gespräch mit den Menschen, nicht mit Etiketten oder Systemen suchen; niemals die eigenen Ideale mit den Exzessen und dem Versagen der anderen Seite messen, aber auch solche Vergleiche von der anderen Seite zurückweisen; nicht erwarten, daß am Ende des Dialogs die Übereinstimmung der Partner stehe, sondern die schöpferische Spannung wechselseitiger Fragen und Kritik aushalten.

Erziehung (und also auch anthroposophisches Erziehen) sollte immer und überall nichts mehr und nichts weniger als eine Hebammenkunst sein wollen. Eine mit Anthroposophie energetisierte Erziehung wird jedoch im Diktat Rudolf Steiners anderes wollen müssen, als Geburtshilfe für den christlich-jüdischen Menschen zu sein; so jedenfalls ist sie keine Hebammenkunst, sondern Retorte mit Brutkasten.

Und wie sieht nun die alltägliche Praxis religiöser Unterweisung in der Waldorfschule aus? Da gibt es zunächst den Religionsunterricht der beiden großen Konfessionen, also jenen exterritorialen Kompromiß. Er gestaltet sich nach den eigenen Grundsätzen (z.B. Lehrplänen); je nach der pädagogischen Ambition des Lehrers wird versucht, auf die Vorgänge in den anderen „Fächern" zu reagieren, z.B. auf die jeweilige „Epoche", sofern sich das anbietet. Da die konfessionellen Lehrer zumeist nicht an den Konferenzen beteiligt sind und auch nur über wenig Rückkopplung zu den Fachlehrern bzw. dem Klassenlehrer/Klassenbetreuer verfügen, ist ein solches Reagieren auf die „fruchtbaren Momente" oft von wenig Wirkung gekrönt.

Daneben gibt es den Religionsunterricht der sogenannten Christengemeinschaft, jener „anthroposophischen Wiederbelebung des Christentums", die unter Einflußnahme von Rudolf Steiner 1921 durch Friedrich Rittelmeyer und Gleichgesinnte begründet, von Vorträgen Steiners inhaltlich vorbereitet und mit liturgischen Praktiken (z.B. der „Menschenweihehandlung") ausgestattet wurde.

Alle an keiner der unterrichtlichen Prozesse dieser Art teilnehmenden Kinder sind dem sogenannten Freien Christlichen Religionsunterricht zugeordnet, für den R. Steiner Lehrplanartiges entwickelte.

In den ersten vier Klassen geht es in diesem eigentlichen Waldorf-Religionsunterricht um ein Erleben des „Geistes in der Natur". Solchem Wirken des Geistes in der Natur, z.B. dem Ernst des

menschlichen Lebenslaufes, dem Seelenwirken im Schlafen und Wachen, den Hinweisen auf das Übersinnliche in den natürlichen Vorgängen (etwa die „Reinkarnation“ in der Beziehung von Schmetterling und Puppe), der Stellung des Menschen im Weltall, der Repräsentation des Göttlichen im ethischen Handeln der Menschen, dem „göttlichen Vatergefühl“ u.a. stehen drei Fehler gegenüber, die der Lehrer hier nicht machen darf: keine Zweckmäßigkeitslehre (Gott hat dies so oder so gemacht, weil ... oder damit ...), keine Wundererzählungen als „Beweise für das Göttliche“ und keine Christologie.
Im Mittelpunkt der nächsten vier Jahre sollen die Begriffe Schicksal und Menschenschicksal stehen, gewissermaßen als verdünnte Karma-Lehre; das Schicksal sucht den Menschen, und er sucht seinem Schicksal zu entsprechen. Der Mensch soll das religiöse Gefühl und den religiösen Willen erarbeiten, die der Tatsache folgen, daß er Produkt des von den Eltern Ererbten und dessen ist, was er aus früheren Erdenleben mitbringt. Danach sollen die drei Stufen des Göttlichen eingeführt werden: das (Schutz)-Engelwesen, die Erzengel als höhere Götter und der Zeitgeist als das Waltende über den Perioden. Immer soll der Religionsunterricht dabei die Erkenntnisform vermeiden und die gefühlsmäßige Vertiefung suchen. Erst danach folgt auf den „religiösen Naturalismus“ die biblische Arbeit und schließlich die Beschäftigung mit den Weltreligionen. Die Zuordnung des Alten Testamentes ist bei R. Steiner nicht einhellig klar. Einerseits wird es dem Natur-Mystischen zugeordnet (niedrigste Stufe), andererseits jedoch auch der Bibelarbeit (ab 9./10. Klasse) oder auch den Weltreligionen.
Wie ist es nun zu erklären, daß sich die Vorstellungen von der religiösen Unterweisung bei Steiner doch signifikant vom Selbstverständnis der großen Kirchen unterscheidet? Ich möchte weniger inhaltlich (vgl. dazu die anderen Abschnitte des IV. Kapitels) als formal und historisch darauf antworten; schließlich handelt es sich um ein Verständnis des Religionsunterrichts aus den frühen Jahren des 20. Jahrhunderts. Nun gibt es ja Religionsunterricht erst seit 1900 als Reaktion auf die Entstehung der „Pädagogik“ als Folge der Schulpflicht; vorher gab es so etwas wie „Katechese“.

Der „Heilspädagogik“ der Kirchen als einer Hinführung zur Gottebenbildlichkeit und zur Gotteskindschaft trat nun ein erziehender Religionsunterricht entgegen, der aus den Herbart-Zillerschen-Formalstufen schöpfte, einer textentwickelnden Methode, bei welcher im Unterricht von der Anschauung aus zum Begriff vorgedrungen wird: Zielangabe, Darbietung, Verknüpfung, Zusammenfassung des Begrifflichen, Anwendung. Rudolf Steiner griff diese Impulse im Gegensatz zum übrigen Religionsunterricht nicht auf, sondern bediente sich der gleichzeitig entstandenen Kulturstufenlehre, also der Auffassung, daß sich die Entwicklungsstufen des Kindes mit den Kulturstufen der Menschheit decken. Mit der Weimarer Verfassung von 1919 endete bekanntlich die geistliche Schulaufsicht, aber der Religionsunterricht blieb ordentliches Schulfach. Weil die Kirchen die Verkündigungs-Inhalte unangetastet lassen wollten, kümmerten sie sich um die Vermittlungsformen; ein Hineinquetschen der Botschaft in Kulturstufen verbot sich ihnen wegen solch zeitabhängiger Instrumentalisierung für den Entwicklungsweg des Menschen. Rudolf Steiner ging bewußt den anderen Weg, was seine Polemik gegen den kirchlichen Unterricht teilweise erklärt, weil er ja „höhere Inhalte“ erschaut zu haben meint, und diese unterrichtlich umsetzen will: „anthroposophischer Religionsunterricht“ auf der Grundlage „anthroposophischer Weltanschauung“.
Durch das Beharren des Geistes der Waldorfpädagogik in den Zwanziger Jahren entging ihm die weitere Entwicklung des Religionsunterrichts vollkommen: die biblisch-kerygmatische Bewegung nach 1945, die existential-personal-theologische Mystagogie und die hermeneutische Wende, die neben dem appellativen auch den lehrhaften, fundamentalen und gesellschaftskritischen Aspekt des Kerygmas erschließt. Auch der emanzipatorische Impuls des Religionsunterrichts nach 1960 ging an den Waldorfschulen spurlos vorüber, welcher (zumal die christliche) Religion im Prozeß der Befreiung des Individuums von der Diktatur einer z. B. technischen Mitwelt und Umwelt sah, woraus ein verantwortlicher Gebrauch der Freiheit bei der Bewältigung der ausstehenden Lebensfragen hervorginge. Alles blieb bei R. Steiner in der Kultur-

stufen-Entwicklungs-Pädagogik stecken. Es wäre außerordentlich wünschenswert, daß der Rang des kirchlichen Religionsunterrichtes in den Waldorfschulen bald der eines Dialogpartners wird, von welchem auch Impulse auf eine geistige Reifung und Befreiung von den Steiner-Zwängen der Waldorfpädagogik ausgehen können. Aber das bleibt wohl noch ein dornenreicher Weg.

4. Christliche Erziehung – Ein Konzept

In vier Thesen soll nun doch ein Verständnis vom Menschen skizziert werden, das den kindlichen Menschen ausdrücklich mit einbezieht und keinen Unterschied macht zwischen seinem Sein und den Erwachsenen. Das Kind ist entscheidungsfähig, verantwortlich, kommunikations- und liebestüchtig, von Gott so gewollt, aber ergänzungs- und erlösungsbedürftig durch den Menschen und Gott, also ein vollwertiges Ich immer auf ein Du bezogen. Dies gilt es zu verdeutlichen, auch wenn christlich begründete Erziehung diesem Profil bislang nicht oder nur in der Annäherung entsprochen hat.

1. Der Mensch, und also auch das Kind, ist von Anbeginn ein Ich-Wesen, und wir haben ihm lediglich Angebote zu machen zu seiner Entfaltung, ihn aufmerksam zu machen auf sich selbst und auf die Welt und Gott, in die er / sie eingebettet ist.

„Veronika hält Zwiesprache mit ihren Eltern: Sie zieht die Augenbrauen hoch, öffnet weit Augen und Mund. Ohne Worte, aber unmißverständlich sagt das winzige Wesen ‚Hallo'. Mit ihrer Mimik fordert Veronika Aufmerksamkeit und Zuwendung. Das kleine Mädchen aber vermag viel mehr. Denn Neugeborene erkennen ähnliche Gesichtsausdrücke bei Erwachsenen wieder, deuten und begreifen sie. Jahrhunderte-, ja jahrtausendelang haben Eltern die *Kompetenzen* von Babys vollkommen verkannt. Man traute ihnen nicht mehr zu als zu schreien, zu trinken und in die Windeln zu machen." Wir haben nämlich die Bedeutung der Sprache viel zu hoch veranschlagt. „Heute weiß man, daß Veronika und alle Säuglinge die Fähigkeiten zu verstehen und zu reden nicht gelernt haben. Sie bringen sie mit auf die Welt." Die Kinder besitzen die volle Eintrittskarte in die Welt der menschlichen Kommunikation; so urteilten Forscher des Max-Planck-Institutes für Psycholinguistik in Nijmegen. „Der Säugling unterscheidet bereits zwischen Sprache und anderen Geräuschen im Kreißsaal. Mit zwei Monaten unterscheidet das Baby bereits zwischen verschiedenen Stimmen, zwischen weiblich und männlich, Freude oder Wut. Ja die Kinder haben sogar eine für die Erwachsenen unmerkliche und kaum spürbare Macht; sie erreichen, daß die Erwachsenen automatisch ihr Verhalten an das der Kinder anpassen. Eltern richten sich in Mimik, Gestik, Berührung und Sprache ganz nach dem Kind."[24] Dieses Kind ist also nicht nur ein Natur-, Sozial- und Kulturwesen, sondern es selbst. Die Waldorfschulen haben große Leistungen bei der Entwicklung von Unterrichtsformen zur Weitergabe von Kulturgütern erbracht; aber wo bleibt das immer mündige Menschenwesen? Herbert Zdarzil[25] hat dazu folgendes betont: „Dennoch bleibt eine Erziehung, die den Menschen nur als Kulturwesen versteht, einseitig in ihrer Sicht der Erziehung: Nicht bloß, weil sie (wie viele Vertreter der Kulturanthropologie auch) die naturhaften Grundlagen menschlichen Verhaltens und menschlichen Lernens allzu gering einschätzt, sondern auch, daß sie übersieht, daß der Mensch neben seiner natürlichen und soziokulturellen Bedingtheit ebenso ein Wesen der *Selbstbestimmung* und der *Selbstformung* ist. Der Mensch ist *Subjekt* begrifflich artikulierter Reflexion; er ist aufgrund seiner Reflexion imstande, seinen Verhaltensantrieben abwägend und bestimmend gegenüberzutreten – er ist *Subjekt freier Entscheidung*; er ist unter Voraussetzung seiner Reflexivität und Freiheit in der Lage, kulturelle Gehalte aus- und umzuformen, er ist imstande, *sich selbst eine Form zu geben.*" Dieses Wesen der freien Selbstbestimmung und

[24] Pröll-Hölzl, Ingeborg, Signale aus der Welt des Säuglings, in: Deutsches Allg. Sonntagsblatt 10.4.1988. Vgl. zur Entscheidungskompetenz des vorgeburtlichen Menschen auch: Rest, Franco, Das kontrollierte Töten, Gütersloh 1991, Kap. IV.
[25] „Anthropologische Grundlagen der Pädagogik", in: Pädagogische Rundschau 42 (1988) 109–119.

Selbstformung gilt es in künftiger Pädagogik stärker zu beachten und anzuerkennen.
Im folgenden Beispiel berichtet Otto Friedrich Bollnow[26] aus seiner Kinderzeit. Der Bericht zeigt ein sechs- bis sieben-jähriges Kind, das sich selbst auf die Spur des Weltengeheimnisses begibt und dort fündig wird: Intuition, Inspiration, Erkennen oder nur Vertrauen in die Begegnungsstruktur der Wirklichkeit: „Durch Zufall war mir ein Zirkel in die Hände gefallen, der sonst seiner gefürchteten Spitzen wegen, sorgfältig vor mir gehütet wurde, und ich merkte staunend, wie leicht und schön sich hiermit die Kreise ziehen ließen als bisher mit dem Notbehelf, wo ich den Bleistift um Deckel und Dosen oder andere runde Dinge herumführte. Die *Vollkommenheit* der so entstandenen Kreise versetzte mich in eine ungeheure Begeisterung. Wenn man einen Punkt der Peripherie des einen Kreises zum Mittelpunkt eines zweiten, gleich groß machte und die entstandenen Schnittpunkte jedesmal wieder zu Mittelpunkten neuer Kreise wählte, bildeten in dem so entstandenen System regelmäßiger Sechsecke die von je zwei Kreisen ausgeschnittenen Flächen Blütenmuster, die in geheimnisvoller Weise miteinander verbunden waren. Ich ahnte dabei eine tiefe symbolische Bedeutung meiner Figuren. Dem *Weltengeheimnis* selber schien ich in der Harmonie dieser Figuren auf die Spur gekommen, ja selber durch die *eigene Tätigkeit schaffend dahinein verwoben zu sein.* Ich fühlte mich *seltsam mächtig* in meinem Tun und hatte das Bewußtsein, durch das Zeichnen dieser regelmäßigen Figuren irgendwie darüber hinaus Wirkungen zu erzielen, deren Tragweite ich nicht absah." Dieser Vorgang muß so gegen 1909 / 1910 stattgefunden haben.

2. Der Mensch, und also auch das Kind, ist ein Gedanke Gottes, als dessen Repräsentant in die Welt getreten und also auch sein personales Gegenüber.

„Der herausragende Grund für die Menschenwürde besteht in der Berufung des Menschen zur Gemeinschaft mit Gott." Die Zwie-

[26] „Frühe Kindheitserinnerungen", in: Bollnow, Otto-Friedrich, Einfache Sittlichkeit. Göttingen 1947.

sprache des Menschen mit dem Menschen, seine Zwiesprache mit Gott ist immer auch ein Abbild des innertrinitarischen Dialogs, des Gesprächs Gottes mit sich selbst, aus dem Schöpfung wurde, und also auch das neu gedachte Kind – ein Gedanke nicht nur seiner Eltern, sondern ein Gedanke dieses Gottes. Die geöffnete Hand Gottes ist für den Menschen das Zeichen eines Angebotes, das nicht enden kann und will; ein Angebot zur Gemeinschaft. Dann ziehen wir den alten Menschen aus und bekleiden uns mit dem jungen, kindlichen Menschen, „der nach dem Bilde seines Schöpfers *zur Erkenntnis* erneuert wird" (Kol 3, 9–10). Zur Erkenntnis, das geschieht durch einen neuen, einen erneuerten Gedanken, in welchem wir „gleichgestaltet werden nach dem Bilde seines Sohnes" (1 Kor 15, 49). Schon jetzt aber tragen wir die Herrlichkeit des Herrn in uns, die er durch seinen Gedanken uns eingepflanzt hat.

Für jede künftige Erziehung bedeutet das die volle Akzeptanz des jeweiligen Erscheinungsbildes und So-Seins des uns begegnenden Kindes, dessen Erlöst-Sein uns als Tatsache erscheinen muß, dessen Sünder-Sein jedoch in Gottes Ratschluß verborgen liegen sollte. Kein Karma, keine Berechenbarkeit des jeweiligen Entwicklungsfortschrittes, kann uns diese Akzeptanz abnehmen. Zugleich müssen wir die unvergleichliche Größe und Einmaligkeit des göttlichen Gedankens in diesem Kind (diesem Menschen) sehen, von dem wir stets mehr lernen als es von uns lernen könnte.

3. Der Mensch, und also auch das Kind, ist erlösungsbedürftig und voller Sehnsucht nach der Heimat.

Kann eine Pädagogik nach Auschwitz und Treblinka noch die gleiche sein wie vorher? Muß künftige Pädagogik nicht gerade ein Verhältnis zur Schuld lehren? Nicht damit wir uns stolz daraus erheben, sondern damit wir uns eingebunden wissen in die ganze Erlösungsgeschichte der Menschheit. Wenn von der Anthroposophie so sehr die Wiederholung der Menschheitsgeschichte im kindlichen Werden betont wird, so kann und darf darin die Erfindung des Völkermords durch die Römer, die Sklavenhaltergesellschaft, darf die Vernichtung der Toleranz eines Theoderich, darf die Hexenverbrennung und dürfen Auschwitz und Treblinka nicht fehlen. Die gloriole Geschichtswelt der Helden und Theatergestalten reicht nicht hin; denn sie mündet nicht im Schuldbekenntnis, sondern im Herrenmenschentum, ebenso wie falsche Naturmystik nur noch wenig vom „Blut und Boden“ trennt.

4. Der Mensch, und also auch das Kind, ist ein dialogisches, zur Zwiesprache und zum Zwiegesang befähigtes Wesen.

Martin Buber und noch mehr Franz Rosenzweig haben dem Geheimnis des Dialogischen nachgespürt wie kaum andere Denker. Rosenzweig schrieb seinen „Stern der Erlösung“ (übrigens der Davidsstern als Sechseckstern, den O. Fr. Bollnow als Kind ahnte) 1916 bis 1920. Darin heißt es, das Wir sei keineswegs der Plural vom Ich; dieser steht vielmehr in der 3. Person des Singular (Er-Sie-Es). „Das Wir ist die aus dem Dual entwickelte Allheit ... Im Wir hebt die Schlußstrophe des Gesangs der Erlösung an; im Kohortativ hatte er mit dem Aufruf der einzelnen, die aus dem Chor hervortraten, und den Responsen des Chors darauf begonnen; im Dual ging es in einem zweistimmigen Fugato, an dem sich immer neue Instrumente beteiligten, fort; im Wir endlich sammelt sich alles zum Choralmäßigen gleichen Takt des vielstimmigen Schlußgesangs. Alle Stimmen sind hier selbständig geworden, jede singt die Worte nach der eigenen Weise ihrer Seele, doch alle Weisen fügen sich dem gleichen Rhythmus und binden sich zu einer Harmonie.“[27]

Der Leser / die Leserin mag nun fragen, ob sich meine Gedanken nicht allzu weit von der Beschäftigung mit der Waldorfpädagogik oder der Anthroposophie als ihrer bestimmenden Menschenkunde entfernt haben. Ich glaube nicht; denn es ist eine der wichtigsten Erfahrungen, die ein Nichtanthroposoph und Nicht-Waldorflehrer dort machen kann, daß er Mut gewinnt, einmal die Fragen des Lebens neu und anders, spontaner und vor-urteils-freier zu stellen. Es kann ja kaum unser Bestreben sein, daß jegliche Pädago-

[27] Rosenzweig, Franz, Stern der Erlösung, Leipzig 1921 (Neuauflage Haag 1976).

gik Waldorfpädagogik oder Waldorfpädagogik akademische Pädagogik werde. Unser Diskurs wäre sinnlos, wenn wir uns gegenseitig die Unzulänglichkeiten vorhielten oder die strahlenden Zulänglichkeiten, verbunden mit der Aufforderung „Spieler, komm rüber!". Vielmehr sollte der Diskurs die Aufforderung enthalten, sich auf etwas zu besinnen, das uns gemeinsam tragen könnte, Bohlen in das Moor zu legen, über die wir gemeinsam der unverstellten Natur begegnen könnten. Ob meine vier Thesen dazu dienlich sein können, kann ich nicht entscheiden. Wir werden noch viel Zeit brauchen für den Bohlenweg: Erziehung als Angebot an den aufsteigenden Menschen; Erziehung als Realisation des Erlöstseins; Erziehung als Leben-Lernen mit der Schuld; Erziehung als dialogischer Zwiegesang.

V. Kapitel: Menschengemäße Erziehung als Auftrag für die Zukunft

All das bislang Gesagte mag dem Theorie-Vorwurf verfallen, wenn es nicht im Praktischen wiedergefunden werden könnte. Was geschieht denn nun im gelingenden Leben, z.B. in der Erziehung? Was ist das Wesentliche, das der Mensch leisten müßte praktisch in seinem Handeln? Das erste und wichtigste zugleich ist die Feststellung, daß der Mensch und zumal der Christ immer und überall in bzw. vor der Entscheidung steht. Mit der Kennzeichnung der menschlichen Existenz als einer *in der Entscheidung* ist eine Kategorie des Handelns eröffnet, welcher sich der „Einzelne" vor seinem Gott nicht wird entziehen können.[1] Der Christ ist jederzeit, in jedem gelebten Augenblick seines Lebens aufgefordert, sich zu seinem Gott zu verhalten, sich zu entscheiden. Und diese Tatsache gilt für das Kleinkind nicht weniger als für den Erwachsenen, da der Mensch immer dies Gegenüber zu Gott ist, vom ersten bis zum letzten Atemzug. Der Christ ist durch sein In-die-Entscheidung-gestellt-Sein als Mensch geprägt. Das bekannte Bild des Clowns mag das Gemeinte verdeutlichen.[2]

„Ein Reisezirkus brach in Flammen aus, nachdem er sich am Rande eines dänischen Dorfes niedergelassen hatte. Der Direktor wandte sich an die Darsteller, die schon für ihre Nummer hergerichtet waren, und schickte den Clown ins Dorf, um Hilfe beim Feuerlöschen zu holen, das nicht nur den Zirkus zerstören, sondern über die ausgetrockneten Felder rasen und die Stadt selber vernichten konnte. Der angemalte Clown rannte Hals über Kopf auf den Marktplatz und rief allen zu, zum Zirkus zu kommen und zu helfen, das Feuer zu löschen. Die Dorfbewohner lachten und applaudierten diesem neuen Trick, durch den sie in die Schau ge-

[1] Vgl. Kierkegaard, Sören, Der Einzelne und sein Gott, (Hg. v. W. Rest), Freiburg/Br. 1961, 38ff.
[2] Sören Kierkegaards bekanntes Gleichnis zitiert nach Harvey Cox, Stadt ohne Gott?, Stuttgart–Berlin 1965, 265.

lockt werden sollten. Der Clown weinte und flehte, er versicherte, daß er jetzt keine Vorstellung gab, sondern daß die Stadt wirklich in tödlicher Gefahr war. Je mehr er flehte, desto mehr johlten die Dörfler, bis das Feuer über die Felder sprang und sich in der Stadt selbst ausbreitete. Noch ehe die Dörfler zur Besinnung kamen, waren ihre Häuser zerstört." Diese Geschichte enthält zwei Gesichter: Den Clown, der sicher von einer wichtigen Botschaft weiß und die Menschen aufmerksam machen möchte auf die Möglichkeiten des eigenen Heils; andererseits aber auch die Dörfler, die nur eine einzige Möglichkeit zur eigenen Rettung haben, nämlich sich wenigstens versuchsweise für die Richtigkeit der Worte des Clowns zu entscheiden, den Sprung zu wagen über den Schatten dieser so unglücklich verkleideten Nachricht. Hinter der Clownsmaske, wie sie uns durch die Mitmenschen, durch die Kirche, wie sie dem Kind durch seine Lehrer und Eltern, wie sie dem Christen in der Gestalt der Priester und Bischöfe entgegentritt, verbirgt sich der Heilsbringer Gott. Er tritt uns als Clown entgegen, damit uns die Entscheidung nicht zu leicht gemacht wird, die Botschaft zu hören trotz (oder auch wegen) ihrer verunglückten Vermittlungsform. *Auf die Botschaft hin gibt es weder eine Entwicklung noch auch eine Erziehung, sondern nur eine Entscheidung.*

Christliche Entscheidungspädagogik versus anthroposophische Entwicklungspädagogik? Entscheidungspädagogik unter Hinnahme der staatlichen Lehrpläne, der Methoden rein schulischer Wissensvermittlung, als verlängerter Arm der Reduktion des Menschen auf sein gesellschaftliches Leistungsvermögen, das wäre wie ein Verschmelzungsversuch von „neuem Himmel" und „alter Erde". Aber eine Entwicklungspädagogik mit versteckten, vorprogrammierten Lebensbildern, die keine freie Entscheidung mehr wollen können, weil das Bild vom vollgestaltigen Menschen bereits im philosophischen Überbau ausgemalt ist, das wäre die Verschmelzung einer „Neuen Erde" mit dem „alten Himmel"[3].

[3] Der Vergleich wurde entlehnt aus dem Gegenüber von Christentum und Sozialismus nach Ragaz, Leonhard, Von Christus zu Marx, von Marx zu Christus (1929), Hamburg 1972, 11ff.

Christliche Lebensführung unterscheidet sich demnach sowohl vom mechanistisch-materialistischen Weltbild der kultusministeriellen Stoffpläne, als auch von den vielen Spielarten einer „sanften Verschwörung" im Zeitalter des Wassermanns zwischen Theosophie und „Wendezeit"[4]. Christliche Existenz wurzelt nicht im Linearen des technisch Erzwingbaren, auch nicht im Kreisförmigen des mystischen Wandelns der Welt (wie z.B. in der Waldorfpädagogik), sondern im Punktuellen, im Augenblickhaften der Setzung des „Ja" zu Gott und des „Nein" zu allen Reizen des neuen „Antichristen"[5].
Und diese Entscheidungsfähigkeit gälte es z.B. durch Pädagogik einzuüben. Dabei wäre die Fähigkeit des „Ja-Sagens" bedeutsamer, da sie uns in eine positive Freiheit führt, während das Nein-Sagen unsere Freiheit immer wieder eingrenzt. Das ist nicht so gefährlich, wie es klingt, wenn es von einem positiven Freiheitsgewinn, einer „Freiheit zu" begleitet ist. Das Ja-Sagen ist also das „entscheidende", wie beim Clown, wider alle sonst mir entgegentretende, vielleicht sogar absurde Erkenntnis in den Grenzen der diesseitigen Welt („credo, quia absurdum"). Deshalb die lebensfördernde Sehnsucht nach Verzweiflung bei Manfred Hausmann[6]: „Oh Herr, laß mich verzweifeln am Verständnis der Welt! Denn wenn ich sie verstünde, Herr, verstünde ich sie nicht. Doch wenn ich ganz an ihr verzweifle, dann verstehe ich, was sie in Wahrheit ist ..." Deshalb auch das besondere Verhältnis des Christen zum Leid[7] oder zur Schuld, zu denen vielen Esoterikern und „Wassermännern" (zu denen sich auch die Anthroposophen zählen) nichts einfallen will.

[4] Vgl. Ruppert, Hans Jürgen, New Age. Endzeit oder Wendezeit?, Wiesbaden 1985; darin Küenzlen, Gottfried, Wendezeit – oder die „Sanfte Verschwörung". Eine neue Erlösungshoffnung, 186ff.

[5] Gedacht wurde hier an die bekannte Erzählung vom Antichrist aus den Werken Wladimir Solowjows, Übermensch und Antichrist. Über das Ende der Weltgeschichte, Freiburg 1958 (1899/1900), 100ff.

[6] Hausmann, Manfred, Gebet um Verzweiflung, in: Giesen, H. u.a. (Hg.), Der mündige Christ, Stuttgart 1960, 298–299.

[7] Vgl. Rest, Franco, Vom Handeln im Angesicht des Unausweichlichen, in: Wege zum Menschen 37 (1985) 281ff.

Aber auch diese Aussagen mögen noch zu wenig praktisch erscheinen. In der Erziehung tritt das Gesagte nun besonders dadurch zum Vorschein, daß dem Kind in jedem Augenblick die Möglichkeit gegeben wird, ganz selbstständig ein „Du“ zu sein (im Dialogischen), mir gegenüberzutreten, mich kritisieren und korrigieren zu dürfen im Sinne der „Entscheidung“. Zum Entscheidungscharakter christlichen Erziehens sei an dieser Stelle nur nochmals verwiesen auf die Bedeutung der sogenannten unstetigen Formen, wie sie im Kontext der Existenzphilosophie begründet wurden[8] und einen außerordentlichen Einfluß auf die Pädagogik nach 1945 genommen haben, besonders im Anschluß an die Stichworte: Krise, Erweckung und Begegnung. Vor allem aber muß verwiesen werden auf Janusz Korczak, jenen zwar nicht christlichen Pädagogen im engeren Sinne, aber doch Erzieher aus dem Geiste des Judentums und des polnischen Lebensgefühls, der da gesagt hat[9], das zentrale Recht des Kindes bestünde auf seinen eigenen Tod. Damit meinte er, das Kind habe das Recht, jederzeit zu entscheiden, ob es leben oder sterben will; jedenfalls müsse der Erzieher dem Kind sogar eine derartige Entscheidung jederzeit zugestehen. Ich habe kein Recht, das Kind von seinem Recht abzubringen, seinen Rechts-Anspruch nicht ernst zu nehmen. Das hat zu tun mit dem Recht des Kindes auf Achtung: „Aus Furcht, der Tod könnte uns das Kind entreißen, entziehen wir es dem Leben; um seinen Tod zu verhindern, lassen wir es nicht richtig leben.“

Wer ernst gemacht hätte mit der Überwindung des Todes durch seinen Herrn Jesus Christus, müßte besonders empfänglich sein für diese lebensbejahende Pädagogik ohne Todesangst. Das ist zwar ungeheuer schwer, dem Kind den vorzeitigen Tod zu gestatten, wenn es ihn ehrlich will, vor allem in einer Ein- oder Zwei-Kind-Familie, wo das Gelingen des sozialen Organismus, der fami-

[8] Vgl. Bollnow, Otto-Friedrich, Existenzphilosophie und Pädagogik, Stuttgart 1959.

[9] Korczak, Janusz, Wie man ein Kind lieben soll (1918), Göttingen 1967; vgl. dazu: Rest, Franco, Das Recht des Kindes auf seinen Tod – Die Bedeutung Janusz Korczaks für die Erziehung in der Sterblichkeit, in: Beiner, Friedhelm (Hg.), II. Wuppertaler Korczak-Kolloquium, 1984, 221ff.

liären Lebensgemeinschaft an das Leben des Kindes gebunden ist. Aber Kinder könnten dieses Leben eher bejahen, wenn ihnen erlaubt bliebe, es auch wieder zu verlassen, als wenn sie gezwungen würden, gegen ihren Willen im Leben zu verharren! „Du wirst dir die Hand brechen, man wird dich überfahren, der Hund wird dich beißen ... Um Gottes willen! Du blutest ja! Wer hat dir denn ein Messer gegeben!"[10] Daß derartige Aussagen von jenem Pädagogen stammen, der mit seinen 200 Kindern aus dem Warschauer Waisenhaus in die Gaskammern von Treblinka gegangen ist, der also das Recht des Kindes auf einen begleitenden und mit-„leid"-vollen Tod auch im zugefügten Massenmord ernstgenommen hat, müßte unserem Nachdenken über ein christlich-jüdisches Menschsein heute besonderen Stoff verleihen.

Gibt es etwas erzieherisch Bedeutsameres als das gedankliche Nachgehen dieses Weges, den anderen Menschen, zumal den mir anvertrauten, als individuell, einmalig zu begreifen und zu akzeptieren bis in diesen, seinen Tod (und nicht in künftige Reinkarnationen) hinein? Daraus aber folgt auch, daß ich als Mitmensch niemals jemanden wirklich „führen" könnte. Dieses grausame Wort „Pädagogik" bedeutet ja das „Führen, Lenken, Leiten von Kindern". Der einzige, welcher führt, lenkt und leitet ist aber letztlich allein Gott; nur er kann in diese Geschichte und unsere Geschichte eingreifen. In der „humilitas", der Demut unseres Herzens gibt er uns die freie Entscheidung, zu seiner Güte „Ja" zu sagen. Wir können also nichts anderes tun, als entweder selbst mit dem Kind den Weg zu gehen, es dort abzuholen, wo es gerade steht und dann ein Stück weit mitzugehen – oder „aufmerksam zu machen"[11]; aufmerksam machen auf etwas (oder jemanden), was dem anderen wichtig sein könnte, wichtig werden könnte, weil es uns unmittelbar etwas angeht. Ob das Angebotene dem Kinde wichtig wird, ob es ergreift und nimmt, das ist und bleibt letztlich seine Entscheidung, das ist sein eigener Entscheidungsweg; aber

[10] Korczak, aaO., 43.

[11] Vgl. Schaal, Hans, Erziehung bei Kierkegaard. Das „Aufmerksammachen auf das Religiöse" als pädagogische Kategorie, Heidelberg 1958.

was ich als Erzieher tun kann, ist „aufmerksam“ zu machen.[12] In diesem Sinne kann Waldorfpädagogik uns also kaum oder nur wenig Vorbild sein.

Die Idee einer menschengemäßen Erziehung umfaßt nun eine Schule mit folgenden Merkmalen, die zwar in Spurenelementen in der Waldorfpädagogik auffindbar sind, deren Realisierung jedoch noch auf sich warten läßt:

1. Eine Schule der größtmöglichen Angstfreiheit. Es gehört zu den größten Problemen der Gegenwart, daß die Schulwirklichkeit in den Industrienationen vom sogenannten Streß für Schüler und Lehrer durchtränkt ist. Der Streß ist von einer Wechselwirkung und gegenseitigen Induzierung von Angst[13] und Gewalt gekennzeichnet. Angstfreiheit setzt aber ein großes Potential von Hoffnungsenergien voraus, für welche die christliche Botschaft eigene und gegenwartsgestaltende Materialien bereithält.

2. Eine Schule der „gesunden Autorität“. Damit ist gemeint, daß die Elemente persönlicher und struktureller Gewalt[14] in der Schulwirklichkeit keine tragende Bedeutung (mehr) erhalten. Die autokratischen Lebensformen, wie sie aus Mangel an strukturellen Gewaltmitteln in der Waldorfschule häufiger sind als in den öffentlichen Schulen, aber auch das Vertrauen auf die Strukturen des Berechtigungswesens, des Notenzeugnisses, der Belohnung und Bestrafung mit Versetzungen u. a. müßten zunehmend der Vergangenheit überantwortet werden.

[12] Vgl. zuletzt: Brose, Karl, Pädagogische Anmerkungen zu Kierkegaard, in: Vjschr. f. wiss. Pädagogik 61 (1985) 288 ff.

[13] Für die Waldorfschulen hat Christoph Lindenberg die Angstfreiheit beansprucht, ohne jedoch tatsächlich dem Phänomen der Schulangst und seiner Behebung auf den Grund zu gehen; wieso durchaus auch in Waldorfschulen so etwas wie Angst entsteht, und worin sie sich von sonstigen Schulängsten unterscheidet, wird leider überhaupt nicht behandelt. Lindenberg, Christoph, Waldorfschulen: Angstfrei lernen, selbstbewußt handeln, Hamburg 1975.

[14] Die Unterscheidung hat in der Friedensforschung (Galtung, Johan, Strukturelle Gewalt. Hamburg 1975) und somit auch in der Friedenserziehung Bedeutung gewonnen; zur Vertiefung: Rest, Franco (Hg.), Waffenlos zwischen den Fronten. Die Friedenserziehung auf dem Weg zur Verwirklichung, Graz–Wien–Köln 1971; ders., Tendenzen der Friedenserziehung und ihre Konsequenzen für die soziale Praxis, in: Theorie u. Praxis d. sozialen Arbeit 26 (1975) 402–410.

3. Eine Schule zur Weitergabe von Idealen. Es mag eine Ursache für den oft beklagten pädagogischen Irrgarten sein, daß weder Lehrer und Eltern noch auch die beauftragende Gesellschaft über Ideen und Ideale verfügen, die sich prägend durch die Schule zögen. Wir brauchen für die Zukunft eine rollende Reform der Ideen und eine rollende Verständigung über die zu vermittelnden Ideale. Die ständige Antizipation möglicher Ideale müßte zum Baustein der Schule der Zukunft werden; und dabei ist es demokratisch legitim und erforderlich, daß die Ideale nicht in einer Weltanschauung oder in Richtlinien verbindlich werden, sondern den Bestimmungen des Tages und der Einzigartigkeit der Beteiligten folgen.
4. Eine „menschengemäße" Schule; eine Schule also, die sich an einem Bild vom Menschen orientiert, das in allgemeiner Übereinkunft sich an den Menschenrechten ausrichtet, wie sie von der Völkergemeinschaft akzeptiert werden. Ein solches Menschenbild ist z.B. in der Schlußakte von Helsinki zur KSZE enthalten; es folgt gänzlich dem Prinzip der Gleichberechtigung der Partner, der Gewaltfreiheit und der Zwischenmenschlichkeit. Der Begriff der „Menschengemäßheit" wurde hier für unsere Merkmals-Aufzählung verwendet, weil er einer Tradition seit Pestalozzi und Froebel entspricht. Das anthroposophische Menschenbild ist ein Versuch in diese Richtung, aber ein sehr unvollkommener.
5. Eine Schule des künstlerischen Schaffens und der musisch-ästhetischen Bildung. Gerade in diesem *zeitlosesten* aller pädagogischen Aufgabenfelder haben die Waldorfschulen und reform-pädagogischen Einrichtungen gezeigt, was möglich wäre. Vielen öffentlichen Schulen fehlt diese gestalterische Dimension, weil ihnen mehr an den zeitlichen Inhalten als an der zeitlosen Form gelegen ist. Oft verfügen sie nicht einmal über einen Aufführungsraum, Ausstellungsfläche und entleihbare Musikinstrumente.
6. Eine Schule als politischer Ort. Schule ist ein Ort der gesellschaftlichen Gesamtverantwortung; sie kann nicht in Zirkeln oder Inseln ihr Leben fristen. Insofern gehört die Waldorfschule in die öffentliche Diskussion gebracht und ihres Geheimnisvollen entkleidet. Als politischer Ort ist die Schule aber auch ein Hort der Demokratie, wie sie im sogenannten dreigliedrigen Schul-

wesen[15] nur unvollkommen, wenn überhaupt verwirklicht werden kann; die Schule der Zukunft kann nur die integrative Schule, also so etwas wie die Gesamtschule sein.

7. Eine Schule als integratives Modell einer integrativen Gesellschaft. Ausgrenzung und Diskriminierung von Minderheiten sind Kennzeichen einer Zukunft, die es so nicht (mehr) geben sollte; in der Schule bietet sich das Lernfeld für eine Integration im Sinne der Wahrung und Pflege von Integrität. Diese Schule kann sich nicht im Vertrauen auf ihre geistige Heimat Behinderten, Fremden oder Anders-[16] bzw. Ungläubigen versagen. Zugleich ist die Integration von Lehrern und Schülern einzuüben: Miteinander „auf dem Wege sein" ist wichtiger, als seitens der Lehrer von einem Wissensvorsprung als Machtanspruch auszugehen.

8. Eine Schule des erlebten und erlittenen Mangels. Not, Leid, Mangel sind Strukturmerkmale der zeitgeschichtlich verantworteten Schule und deshalb nicht als überwindungsbedürftig zu betrachten. Diese These mag befremdlich wirken, zumal im Hinblick auf Lehrermangel, Ausstattungsdefizite, Stundenausfälle usw. Aber der Wahn einer rundum vollkommenen Schule wäre lebensbedrohend und imperialistisch gegenüber den Mangelbereichen unserer Welt. Gerade hier kann christliche Orientierung hilfreich sein, ein Christentum, das dem Leid mehr Raum gibt als z. B. die Anthroposophie. Manche Waldorfschule ist daran gemessen schlicht gesagt „zu schön".

9. Einer Schule des Ineinander von Freizeit und Arbeit, Feiern und Lernen. Die Waldorfschulen haben hierzu einen guten Weg zurückgelegt; die öffentlichen Schulen sind bislang zögerlich durch Projektarbeit, Arbeitsgemeinschaften, Freizeitgruppen usw. besonders in den Gesamtschulen gefolgt. Die Begriffe „Freiarbeit" und „Stillarbeit" sind bei beiden Schulformen kleine Bausteine und zugleich in ihrer Widersprüchlichkeit Orientierungs-

[15] Aufteilung nach Hauptschule, Realschule, Gymnasium. Der Trend geht bereits in einigen Bundesländern zum Verschwinden der Hauptschule als Schule der Sozial- und Bildungsschwachen.

[16] Der Anteil der Muslime an Waldorfschulen entspricht z. B. nicht annähernd dem Anteil an der Gesamtbevölkerung.

punkte auf dem Wege. Wichtige Ergänzungen stellen die Praktika dar, wobei Industrie und Landwirtschaft sicher unbedingt, aber nicht ausschließlich berücksichtigt werden sollten.

10. Eine Schule der Unabhängigkeit von der Abschluß-Fixierung. Lernen und schulisches Leben sind nicht von den erwarteten oder erhofften Schulabschlüssen her erfolgreich zu gestalten, sondern verlangen nach einer Eigendynamik ohne diese Fremdbestimmung (z. B. wie an Waldorfschulen). Die gesellschaftlichen und wirtschaftlich-industriellen Anforderungen an Qualifikationen und Kompetenzen dürfen nicht den Schulalltag bestimmen, sondern diese können nur ein Resultat des unkontrollierten Lebens[17] sein.

11. Eine Schule der Ernstnahme und der Mitwirkung des Elternwillens und der Eltern selbst. Solange der junge Mensch einer stellvertretenden Wertbindung durch seine Eltern bedarf, ist der Elternwille einer der wichtigsten Maßstäbe für die schulische Arbeit. Aber gemeint ist nicht nur die Beteiligung an Ausschnitten des Schullebens wie es die Waldorfschule vormacht, sondern an all seinen Facetten. Andererseits hat die öffentliche Schule oftmals nur nach dem Elternwillen, nicht aber nach den Eltern selbst gefragt; diese sind jedoch Menschen aus Fleisch, Geist und Blut, deren Mitleben und Mitverantwortung verlangt wäre.

12. Eine Schule der Begabung und weniger der Begabtenförderung. Immer wenn Schule davon ausgeht, es gebe hoch Begabte und weniger Begabte (abgesehen einmal von den Begabten als Behinderten), verfehlt sie ihre Aufgabe, nämlich alle Schüler und sogar die Eltern und Lehrer zu „begaben", ihnen also zu geben, was sie brauchen, um in der zukünftigen Welt und angesichts der angezielten Ideale zu überleben. Förderungen aller Art sind dazu kein Widerspruch, sondern in anderer Form ihr Ferment.

13. Eine Schule, die ihre Schüler als ihren Reichtum betrachtet. Die Normen, eine eventuell vorhandene Weltanschauung als Gehhilfe der Lehrer, ja selbst die oben genannten Ideale sind nicht das Geschenk an die Zukunft, sondern allein die Schüler. Es ist immer

[17] Zur Ausdeutung dieses Begriffs vgl. Rest, Franco, Das kontrollierte Töten. Lebensethik gegen neue Euthanasie und Eugenik, Gütersloh 1991.

wieder interessant, was eine Schule als ihre besonderen Vorzüge vor anderen darstellt; hier sind besonders die Aussagen gegen die „Staatsschulen“ seitens der Waldorfschulen bemerkenswert. Wer aber die Menschen als Reichtum betrachtet, wird sich nicht durch Abgrenzungen und Diskriminierung anderer definieren.

14. Eine Schule der Zurückweisung von Bildungsprivilegien. Leider sind gerade die Schulen der „freien westlichen Welt“ von Privilegien durchzogen, wie sie vor allem das deutsche Gymnasium kultiviert. Untersuchungen zur „sozialen Schicht“ und „Klasse“ der Gymnasiasten und Abiturienten lassen erkennen, daß diese Privilegien für den Erhalt einer „höheren“ Bildung nach wie vor bestimmend sind. So werden das Gegeneinander und die Konkurrenz als Merkmale der Schule in den gesellschaftlichen Alltag verlängert und perpetuiert.

15. Eine Schule des Wettbewerbs in einer marktwirtschaftlichen Gesellschaft. Diese These mag den anderen widersprechen; aber die Schule tritt in den Wettbewerb, nicht die Schüler untereinander. Die Anmeldezahlen zu bestimmten Schulsystemen sind nur ein Gradmesser von vielen. Die pädagogische Schule wie die Waldorfschule und die Gesamtschule (beide haben Anmeldezahlen, die sie nicht bewältigen können) tritt an gegen die Berechtigungsschule (Realschule, Gymnasium u. a.); der Wettstreit wird zur gegenseitigen Befruchtung und Ergänzung. Schwierigkeiten bezüglich Arbeitsplatzsicherungen, Halten von Standards usw. wird es nicht geben, weil der Wettbewerb über Jahre geht und die Mobilität der Menschen die Gefahren mindert. Eine positive Folge wird die Durchsetzung des „pädagogischen Modells“ von Schule sein, da seine Attraktivität unübersehbar ist.

16. Eine experimentelle Schule, eine Schule, die nicht so oder so ist, sondern die immer nur wird, eine Schule also im Prozeß, niemals im Abschluß. Die Veränderungen der Zeit und des Lebens sind derart eingreifend und schnell, daß nur eine experimentelle Schule den Anforderungen wird entsprechen können. Waldorfschule hat demnach auch nur eine Zukunft, sofern sie endlich aus den Anfängen dieses Jahrhunderts ausbricht und sich einer Zukunft stellt, die Auschwitz und Hadamar ebenso enthält wie Pere-

stroika und Aggiornamento, Woodstock und Penderecki, den Platz des Himmlischen Friedens und die Danziger Lenin-Werft.
17. Eine human-ökologische Schule, in welcher die gesamte natürliche Innen- und Umwelt ihren Platz findet, wo Menschen geschwisterlich mit der Natur zusammenleben und ihren Anteil am Schöpfungswerk ernst nehmen, indem sie mehr den natürlichen Dingen und Wesen „einen Namen geben", als daß sie diese benutzen und menschlichen Zwecken unterwerfen.
Zum Abschluß mag ein Blick auf den Menschen, um dessen Werden es sich eigentlich dreht, hilfreich sein. Er benötigt, um in seinen Aufgaben bestehen zu können, vier wesentliche Fähigkeiten. Da ist zunächst die *reproduktive Kompetenz.* Sie umfaßt die Fähigkeit zur Wiedergabe und zum gedanklich-praktischen Nachvollziehen dessen, was ihm vermittelt wurde. Um sie haben sich die Schulen stets gekümmert, wobei sie sich lediglich in dem unterschieden, was sie vermittelten.
Spätestens seit der industriellen Revolution haben sich die Schulen zunehmend auch um die *produktive Kompetenz* gekümmert. Darunter sei eine Fähigkeit zu schöpferisch-ökologischem Eingreifen des Menschen in die ihn umgebende Welt unter dem Gesetz der Bewahrung der Schöpfung verstanden. In den letzten Jahrzehnten wurde deshalb viel von Phantasie, Kreativität u. a. gesprochen. Waldorfschulen und Gesamtschulen haben sich dieser Kompetenz mehr verschrieben als andere Schulformen; und sie haben damit einen wesentlichen Beitrag zum Fortschritt der Erziehungstheorie geleistet.
Erst in neuester Zeit wird der Ruf nach einer *metakommunikativen Kompetenz* laut, die sich auf die Fähigkeit zur Selbstreflexion und Selbsterkenntnis bezieht; sie fußt darauf, daß der Mensch sich in kritische Distanz zum eigenen Wesen begibt. Eine Schule, die diesem Anspruch gerecht würde, muß erst noch erfunden werden, Ansätze dazu sind sicher in allen Schulformen dort vorhanden, wo Lehrer, Eltern und Schüler aus den vorgegebenen Strukturen ausbrechen und sich zur „Spiegelung" bereitfinden.
Schließlich muß auf eine *Begegnungskompetenz* hingewiesen werden. In ihr ist sowohl jene Fähigkeit geborgen, die bislang als so-

ziale Kompetenz bezeichnet wurde, als auch sehr viel mehr. Der Mensch will auf andere Menschen, aber auch auf den Ganz-Anderen zugehen, sich all jenen Bereichen öffnen, die sich ihm verschlossen zeigen: Gott, Kosmos, Natur, Geist, Geheimnisse. Theologie und Anthroposophie haben (offensichtlich und leider unversöhnliche oder unvereinbare) Wege aufgewiesen. Wir stehen vor einer glaubensgeschichtlichen Wende, die ohne Begleiter nur schwer zu bestehen sein wird.[18]

Da ist zunächst die Feststellung, daß in der Mitte dieses Jahrhunderts Ereignisse stattgefunden haben, die ein neues Menschenbild herausfordern; diese Ereignisse machen es unmöglich, sich auf die alten Bilder zu verlassen. Wir leben heute jenseits einer Bruchspalte gegenüber unserer eigenen Geschichte und gegenüber den fatalen Wirkungen unserer Kulturentwicklung; deshalb ist eine Wende[19] überfällig. Für das Christentum ist festzustellen, daß mit den angedeuteten Katastrophen zugleich der bis dahin vorherrschende Säkularisierungsprozeß an sein Ende gelangt ist. Die oben angedeutete metakommunikative Kompetenz steht in Wechselwirkung zur „Inversion", die den Säkularisierungsprozeß ablöst. Deshalb, so stellt E. Biser fest, zeichnet sich eine neue Gestalt des Christentums ab: ein dialogisches im ökumenischen, Erdteile umspannenden Wechselgespräch auf der Grundlage einer Besinnung auf die biblischen, vor allem paulinischen Modelle; ein medienkompetentes, d.h. die Medienszene beherrschendes; ein mystisch verinnerlichtes in einem individuellen und kollektiven Gottesverhältnis.[20] Diese drei Bausteine also – Dialogik, Medienbeherrschung, Mystik – sind in der Waldorfpädagogik nur angedeutet und völlig unzulänglich umgesetzt; vielleicht aber gibt es eine Chance, gemeinsam der Zukunft gerecht zu werden. Die pädagogische Dialogik wird die Lebenspartner als gleichberechtigt und

[18] Vgl. Biser, Eugen, Die glaubensgeschichtliche Wende. Eine theologische Positionsbestimmung, Graz–Wien–Köln 1986.

[19] Deshalb die Herausforderung zum „Metanoeite" erneut für unsere Zeit. Vgl. Rest, Franco, Kehrtwendung im Menschenleben. Damaskuserlebnisse in Geschichte und Gegenwart, Freiburg/Br. 1990.

[20] Biser, aaO., 302f.

gleichwirksam im Prozeß begreifen; die Medienskepsis der Waldorfpädagogik wird von Medienbewußtsein abgelöst, in welchem gesunde Kritik Kraft und Wut entwickelt; erzieherische Mystik wird dem heiligen Ganzen im inneren Wege folgen ohne in Esoterik und Schwärmerei zu versinken.

Die uns gemeinsam tragende Religion wird eine der Angstüberwindung, der Freiheit und des Friedens sein. Alle drei Merkmale finden sich im biblischen Glauben wieder, in der Hoffnung, dem Glauben und der Liebe. Erziehung kann mithelfen, daß die Gotteskindschaft in den Seelen erwacht[21], daß die Kinder und Jugendlichen zu sich selbst gelangen im Sinne des Nikolaus Cusanus: „Sei dein eigen, dann bin auch ich dein eigen."[22] Insofern wird unsere Gegenüberstellung von Waldorfpädagogik und einem christlichen Verständnis von Erziehung als einem Gegensatz von Entwicklung und Entscheidung, Bewahrung und Bewährung, erkennendem Erobernwollen und Hingabe an das Erkanntsein dem Auftrag erst dann gerecht, wenn beides zusammenfließt im paulinischen „im Wachsen begriffenen Ergriffensein"[23], wenn das Personsein von Anbeginn zum Sauerteig wird für die Personwerdung am Ende der Tage. Der Mensch ist von seiner Zeugung an (vielleicht sogar schon in der Präexistenz) nicht nur ein Entwurf für einen Entwicklungsprozeß, nicht nur in einem physischen Leib, der noch höhere Geburten vor sich hat, sondern das personal geliebte Wesen, dem sich Gott vertraglich verpflichtet hat. Aber er ist und bleibt auf dem Weg zur Personwerdung in der Gotteskindschaft. Nichts anderes verkündet die reformatorische Formel für den pädagogischen Auftrag: „simul iustus et peccator".

[21] Vgl. das Wort vom „Erwachen der Kirche in den Seelen" bei Guardini, Romano, Bericht über mein Leben, Düsseldorf 1984, 117.

[22] Nikolaus Cusanus, De visione dei. C7. Vgl. Bohnenstaedt, Elisabeth, Von Gottes Sehen, Leipzig 1944.

[23] Biser, aaO., 18 ff.

Personenregister

Sachregister